ハプスブルク家の人々

菊池良

新人物文庫

目次

本書は一九九三年八月、新人物往来社より刊行しました。

ハプスブルク家の人々

ハプスブルク家のエピゴーネンたち

二つの博士論文との出合い

博士論文を二つ見つけた。ウィーン大学図書館でである。全くの僥倖《ぎょうこう》といえば話が出来過ぎている。そうではない。おぼろげながらこんなことについて書いた論文はないかと索引をめくったうえでのことである。ひょっとしたらその時、ウィーンの詩人カール・クラウスの二連詩、『告白』の一節、

僕はエピゴーネンだ、祖先の価値を感ずるものだ
でも君達は学識を鼻にかけるテーバイ人じゃないか!

このぐらいは口ずさんでいたかもしれない。

見つけた論文の一つ目は『文学上の従属の問題とエピゴーネンの概念』という題で、一九七二年ボン大学に提出されたものである。著者はハンス・アスベック。どんな人物か寡聞《かぶん》にして知らない。正直言ってあまり精読しなかった。ただ同好の士がいたと

いうことが分かっただけで妙に安心してしまったからかもしれない。

ところで、先に引いたクラウスの詩、「僕はエピゴーネンだ」にはちょっと意表を衝かれた思いがする。彼は、別に卑屈になっているのではない。かといって卑下自慢をしているようでもない。クラウスという詩人、そんな見え透《す》いたことをするようなタマではない。本気でエピゴーネンとしての己を誇るかのように高らかに謳《うた》いあげているのだ。

エピゴーネンという語は、ふつう優れた先行者の模倣者、追随者をさす蔑称語《べっしょうご》として享受、運用されている。こうした享受、運用の根っこにはオリジナル絶対論がある。このオリジナル絶対論にクラウスは真っ向から挑戦しているのである。

この語は元来ギリシャ語で、単に後裔《こうえい》を意味するにすぎない。その運用のうち最もよく知られているのは『テーバイ攻めの七将』の息子たちのそれである。そのかみ、オイディプスの息子ポリュネイケースは諸将を集め、破約を犯した兄、エテオクレースを攻めるべくテーバイに向かって発進した。これがアドラストスを総帥とした七将の「テーバイ攻め」である。だがこの遠征は敗戦に終わり、七将はアドラストスを除いてことごとく敗死した。この第一のテーバイ攻めの敗北十年後に、七将の息子たち、すなわちエピゴーネンはあらたなる進軍を企てた。エピゴーネンの第二のテーバイ攻めは、第一のそれの単なる繰り返しでは断じてない。もって顕彰すべき大事であった。なぜなら、エピゴーネンは父たちの汚名をすすぎ、エテオクレースによって犯された不義を糾すという彼らに課せられた義務を完璧《かんぺき》に果たしたからである。それゆえホメーロスは『イーリアス』第四書の中でエピゴーネンの一人、ステネロスをして「憚《はばか》りながら我々は親たちよりも、ずっとしっかりしているつもりだ、／七つの門のテーバイの城を攻め取ったのは我々ですから。／ずっと少ない人数を率いて、いっそう堅固な砦を襲った。／それも諸神が示された象と、ゼウスの神助を恃《たの》んでのこと。／それに引きかえ、あの人たちは、おのれの増上慢から、身を滅ぼした。／それゆえどうか私らを父親などと同列にみてはくださいますな。」（呉茂一訳）と言わしめたのである。

ちなみにアレキサンダー大王はスサにおいて自分の軍勢に吸収した若いイラン人兵士に向かって、我がエピゴーネンよ！　と呼びかけたと言われているが、これはもちろん、先の故事をふまえての呼びかけであり、大王の異邦人懐柔政策の一つであった。

こんなエピゴーネンという語が頌詞《しょうし》から蔑称語へと転落していったのは、ドイツの作家インマーマンの長編小説『エピゴーネン』（一八三六年）辺りからで、そんなに古くはない。インマーマンは自作について「この小説には『エピゴーネン』という題をつけることにしました。そしてこの小説には遅れて生まれてきたものたちの祝福と災厄を描いております。私たちの祖先の労苦と汗したたる双肩の上に立っている私たちの時代は、ある精神的な過剰を病んでいます。祖先たちの遺産の相続権を私たちはたやすく手に入れることが出来るのです。その意味で私たちはエピゴーネンなのです。このことから全く固有の衰弱が生まれてきました……」と語っている。エピゴーネンには「固有の衰弱」がある。遅れて生まれてきたこと、それがすでに原罪を背負っている、というのである。それではなにに遅れたのか？　インマーマンの場合はゲーテ時代にである。彼はゲーテ時代を黄金時代に見立てて、いわば水銀時代にある自分たちの黄金伝説ならぬ水銀伝説を描いたというわけである。

自分たちを否定的に捉《とら》えるのはちょっと辛気くさいが別に悪いことではない。ただ、そう捉える根拠が問題である。遅れて生まれてきたがゆえに、自分たちにはすでにオリジナルなものがない、という立論ならばちょっと待て、と言いたい。ことは文学の話である。そもそも、文学にオリジナルがあるのか。「私たちは時が経《た》つにつれ、このエピゴーネンという概念の使用にはだんだんと慎重になってきました。というのも古い文化を考察するうちに偉大な作品を産み出すのにいかなる意識的オリジナリティーも必要としないことを知ったからであります」（Fr.ゼングレ）。インマーマン以来の特にドイツ文学の領域におけるエピゴーネンという語の享受、運用はこの辺のことを考えていない。それどころか「なによりもオリジナルを！」という一つの強迫観念に取り憑《つ》かれ、ひたすら独創競争に狂奔するだけである。それがカール・クラウスには馬鹿らしかったのであろう。「僕は言葉の蒼然《そうぜん》たる棲家《すみか》に巣くう／エピゴーネンの一人だ」、なにが悪い！　と。

さて、ここで目をヨーロッパ王家の歴史に向けてみる。それも王朝草創期のそれではなく、成熟し、王朝理念が厳格さをまし、とはすなわち硬直化し組織が身動きが取れなくなった時期である。ところで、ここはウィーンである。すなわち王家とはハプスブルク家である。ハプスブルク家の人々の全存在を規定するのは全六十一条に及ぶ同家家憲（一八三九年に初めて成文化される）。一九一八年の王朝崩壊後に初めて全貌《ぜんぼう》が明らかになったこの家憲によると遅れて生まれてきたもの、すなわちエピゴーネンは「精神の過剰」を病もうが病むまいが、独創的であろうがなかろうが必然に「固有の衰弱」を持たざるを得ない。遅れるという物理的時間が絶対の尺度となる。エピゴーネンには水銀伝説しか用意されていないのだ。

ハプスブルク王朝末期、皇帝フランツ・ヨーゼフ一世は六十八年（一八四八〜一九一六年）にわたって君臨した。その間、遅れて生まれてきたものは五十人にものぼる。

そんなハプスブルク家一門の男子をオーストリア大公と呼ぶ。ウィーン大学図書館で見つけた二つ目の博士論文とはこんなエピゴーネンを扱った『フランツ・ヨーゼフ一世治下でのオーストリア大公の地位と任務』である。

著者はヨアヒム・リストで、一九八二年にウィーン大学に提出されている。この二つ目の論文の発見も嬉《うれ》しかった。五十人近いオーストリア大公。大部分は傍流でひたすら政治的年金生活を送るしかない。そして一族の長である皇帝に生殺与奪の権を握られている。砂を噛《か》むような人生。こんな大公の生活を著者ヨアヒム・リストは実に詳細に、かつ極めて事務的に描いている。淡々とした、なにか冷ややかでさえあるその筆致の陰に殺したエピゴーネンへの哀惜。これがちょっぴり泣かせるのだ。ここにも同好の士がいた。

さて、それではこの二つの博士論文の発見は私にとってなにを意味するのか？　エピゴーネンという語の従来までの享受、運用の誤りを糾《ただ》し、価値の逆転を図るきっかけとなるのか？　いやそんな大それたことは考えていない。それには少し荷が勝ちすぎる。ここは同好の士の存在に意を強くするだけでいい。そして「エピゴーネン」と「ハプスブルク家」を結び付けるヒントをもらったことに感謝するだけである。

ハプスブルク王家は神君ルドルフ・フォン・ハプスブルク以来約七百年も続いた。

その間、同家はドイツ帝、ドイツ王を二十人輩出させた。そして神聖ローマ帝国（ドイツ帝国）崩壊以来、約百年、四人のオーストリア皇帝を生んだ。まさに「歴史の蒼然たる棲家」だ。そこに「巣くうエピゴーネン」にはこと欠かない。水銀伝説の宝庫である。その資料をここウィーンで収集することが二つの博士論文を発見した後の私の目的となった。

しかしその収集の際、エピゴーネンという語のギリシャ語起源の意味を少し拡大しなければならない。遅く生まれてきた人々だけではなく、早く生まれてきた人々も射程に入れてみる。ただし、それもあくまで水銀時代に生まれたのであり、黄金時代にはやはり間に合わなかった人々である。つまり兄弟たちよりは早く生まれたおかげで皇帝になれはしたが、時代に置いてきぼりをくい、なんとも冴《さ》えない一生を送った人々である。

次に肝心の黄金時代、水銀時代の区別をどうするか。正直言って確固たるメルクマールなどありはしない。周期的に繰り返されたハプスブルク家の興隆と衰退のサイクルはここでは直接関係しない。くすんで見える勃興《ぼっこう》もあれば、光り輝く没落もあるからだ。要は歴史に「著名なる事実」を残したかどうかである。アナトール・フランスはいみじくも言った。「歴史とは所詮《しょせん》、著名な事実の羅列である」（塩野七生訳）と。

人は必然に時代の子である。匿名な時代に埋もれた人々を青史はともかく外史は相手にしない。外史、すなわち野史は面白さが命だからである。面白くなければ、著名でなければ羅列されない。羅列されない事実、人々、時代。これが水銀時代である。

しかし歴史が黄金伝説だけでは目が眩《くら》んでしまうのではなかろうか。そこで匿名な時代とエピゴーネンにちょっとスポットを当ててみるのも悪くはない。もちろん、そうしたところで水銀が黄金に変わるわけではない。そんな錬金術など聞いたことがないし、またその気もない。ここはハプスブルク家のエピゴーネンたちをいとおしみつつ眺めるだけでいい。つまり、金の残像を脳裏に焼き付けたまま銀をつぶさに見つめるのだ。そうすれば、金と銀の織りなすページェントが仄見《ほのみ》えてくる。さなきだに、興深いハプスブルク家の歴史が一層楽しくなってくる。これが狙いである。それゆえにこの小著『ハプスブルク家の人々』は、幾人かの例外を除き、おおむね、ともすれば忘れがちなエピゴーネンたちの評伝となった。ウィーン大学の図書館での二つの博士論文との出合いは私にこんな功徳《くどく》をもたらしてくれたわけだ。それではその水銀伝説をとくと御覧《ごろう》じろ！

ルドルフ・フォン・ハプスブルク

ドイツ王になった貧乏伯爵

一二七三年九月十九日夜。スイスはバーゼル市を包囲する軍勢は、明日の総攻撃の準備をすっかり整え終えた。天幕の下、彼はさすがに疲れていた。すでに五十五歳である。彼は家臣を退らせると横になった。衛兵がすかさず松明の明かりを消した。時は二十日未明となっている。前哨の隊長が「恐れながら」と彼を起こした。従者を連れた一人の騎士が至急お目通りを願っているとのことである。明かりを灯《つ》け、招じ入れると、騎士とはニュルンベルク城伯ハインリヒであった。

城伯は平然と恐ろしいことを問うてきた。「選帝侯会議の使者として参上仕った。そこで貴殿にお尋ねする。ドイツ王として帝冠を戴《いただ》き、帝国に仕え、その困窮を取り払うお気持ちありやなしや? 直ちにフランクフルトへ向かわれ、選帝侯会議によるドイツ王推戴《すいたい》の決定を受諾されたい」。なにを言っているのだ? 彼は最初、城伯の言葉が理解できなかった。あまりにも唐突であった。この私が王に推挙されたというのか？　ややあって、彼は「お受け申す」と答えた。「それから彼は自分の興奮を隠さんと、天幕から出て涼しい秋の夜風にあたった」（D・ヴァッハター）。もちろん、総攻撃は中止である。彼は宿敵、バーゼル司教ハインリヒと和議を結び、囲みを解いた。そして彼、ルドルフ・フォン・ハプスブルクは選帝侯たちの待つフランクフルトへと勇躍、駒を進めたのだ。バーゼル司教はルドルフのドイツ王推挙決定の知らせに「主なる神よ、身じろぎもせずお座り続けください！　さもなくばルドルフの奴《やつ》めが御身の王座を奪い取らんことになるでしょう！」と吐き捨てた……。

ハプスブルク家の神君ルドルフ・フォン・ハプスブルク一代記の一幕である。一幕と書いたが、実にふさわしい言葉だ。ルドルフの生涯はすべてにわたりこんな風に芝居がかっている。あまたの年代記作者たちはこぞって、ここぞとばかりに筆を自由奔《ほん》放《ぽう》に走らせ、おかげでルドルフにまつわるおびただしい数の逸話、伝説が語り継がれることになった。

それらの伝説は我が国の戦国絵巻に似ている。例えば冒頭に引いた一幕。高松城包囲の折、主君信長の急死を知ると、電光石火、毛利家と和議を結び、城の囲みを解き、「天下人」への野望を露《あら》わに京へと疾駆した秀吉に似てはいまいか？

さらに一例。これはルドルフ自身のではなく彼の祖先にまつわるものである。とは言ってもこの伝説はルドルフがドイツ王となり、一族が世界史に登場してから改めて発掘され、初めて日の目を見たものである。つまりルドルフ自身にまつわる伝説と同根のものなのだ。

さて、ハプスブルクという家名は、アルザス、シュヴーアベン、それにスイス・アールガウ地方を領有していた伯爵一族が十一世紀に領地アールガウを流れるロイス川とアーレ川の合流地点に建てた城を「鷲の城」（ハービヒツブルク）と命名したことに始まる。その城主ラートボート伯爵は城の回りに堀を巡らせることもせず、防塁も櫓《ろ》も作らせなかった。これを見て一族出身のシュトラースブルク司教が伯を厳しく批判した。他日、再び司教が城にさしかかると、城はなんと兵士と甲冑《かっちゅう》に身を包んだ騎士たちにより、ぐるりと囲まれていた。これを見て司教は「人間の壁。その勇気と忠誠心。これぞ城の守り」と感嘆した。これなぞはまさしく甲斐は武田節の「人は石垣、人は城、情けは味方、仇《あだ》は敵」そのままである。

この洋、時の隔てを超えた類似は別に不思議ではない。つまり、君主が自ら全軍を率いる武将であった時代の、しかも自ら新しい王朝を創らんとする人物にまつわる逸話、伝説である。おのずからその内容は定まってくる。俗物的なおおらかさが根底にある。陰謀、殺戮《さつりく》、暗殺、打算、裏切りと功成り名を遂げるには踏まなければならぬ階段をおおらかに上っていく。憂愁の翳《かげ》りなど見せてはならない。すべてにあっけらかんとあたることだ。それでこそ天命が下る。王朝創始者は大体が「偉大な俗物」（E・フリーデル）と相場は決まっている。そこはニヒルで独創的なラスト・エンペラーたちとは違う。ルドルフ・フォン・ハプスブルクも「偉大な俗物」であった。

そのルドルフがかつて仕え、彼の代父でもあったシュタウフェン朝のフリードリヒ二世はアンチ・クリストとして地獄の業火に身を投じた、いかにもラスト・エンペラーらしい名うてのニヒリストであった。彼は桂冠詩人を率い、ソネットによる歌競べを主宰しながらローマ教皇に戦いを挑む。ちなみに同じ頃、我が国では、悲劇の詩帝、後鳥羽帝が千五百番歌合わせを主宰しながら鎌倉幕府転覆を練っている。つまり、二人の帝王にとって芸術と政治は完璧な等価値となっているのだ。完璧な等価値とはすなわち、いずれも無価値なのだ。無価値なものに我が身を焦がす。ルドルフにはとてもできない芸当である。ニヒリストとリアリストの違いであろう。

ところで、このおおらかなリアリスト、ルドルフに王朝創設の道を開いたのが、ほかならぬこのフリードリヒ二世なのである。

一二四五年、リヨン公会議で教皇インノセント四世はフリードリヒ二世の破門を宣し、併せて神聖ローマ帝国皇帝廃位の決定を下した。「世界の三大詐欺師とはモーゼとキリストとマホメットである」と公言して憚《はばか》らない天才ニヒリスト、フリードリヒ二世はローマ教会の神権国家理念を拒否することに生涯を賭けた皇帝である。近代的国家理念を確立するには教皇権との全面対決しかない。だが当時のローマ教皇の最大の武器である破門、聖務停止、聖餐《せいさん》停止は猛威を振るい、皇帝の味方はどんどん脱落していった。それにイタリア自治都市国家が教皇陣営に走り軍資金をたっぷり注ぎ込んだ。一二五〇年、フリードリヒ二世は思い半ばにして死去。ドイツは麻のごとく乱れることになる。

フリードリヒ二世の死から、一二七三年、ルドルフ・フォン・ハプスブルクがドイツ王に即位するまでの二十数年間を「大空位時代」という。正確に言えば国王はいた。しかし、それはいずれも対立国王であった。フリードリヒ二世の次子コンラート四世にたいしてはチューリンゲン＝ラント伯ハインリヒ・ラスペが立てられ、彼の死後はオランダ伯ウイリアムが後を襲った。そしてコンラート四世が一二五四年死去すると、ウイリアムが一人国王となる。だが、このウイリアムの死後、またもや二重冊立《さくりつ》が行われ、イギリス王ヘンリー三世の弟リチャード・フォン・コーンウォール公とカスティリア王アルフォンス十世がそれぞれ即位した。いずれもドイツにはろくすっぽ顔も見せない。二人とも名目的国王にすぎない。国は乱れる。帝国諸侯は帝国法を全く無視し、たがいに私闘（フェーデ）を繰り返し、弱肉強食の論理を剝《む》き出しにして帝国を蹂躙《じゅうりん》した。こうした帝国諸侯の追剝《おいはぎ》行為は、街頭に潜む群盗にいたるまで忠実に再生産されていった。まさしくそれはシラーの言う「皇帝のいない恐ろしい時代」であった。

対立国王の片割れリチャードが一二七二年死去した時、時のローマ教皇グレゴリウス十世は選帝諸侯に「ただちに国王を選ぶように。もし諸公が意見の一致を得られない時には、私自身が国王を選ぶ。そのおつもりでことにあたられよ」と通告した。インノセント四世をはじめとする教皇グレゴリウスの前任者たちは、皇帝権力との血みどろの闘いを繰り広げ、皇帝フリードリヒ二世の破門、廃位によって完膚《かんぷ》なきまでの勝利を得たかに見えた。しかしその勝利も帝国そのものが乱れては意味がない。教会領は夜盗に襲われ、掠奪され放題となった。十字軍派遣など夢また夢となった。グレゴリウスは帝権のある程度の復活を願わざるを得なかったのだ。

しかし教皇は、もう一人の対立国王でカスティリアの王でもあるアルフォンス十世の頭上に帝冠を授ける気などさらさらなかった（十五世紀まではローマ教皇の手による戴冠式をすませ、ドイツ王は初めて神聖ローマ帝国皇帝となる）。ましてや、シチリア王シャルルの推すフランス国王フィリップ三世などは論外であった。帝権の復権はあくまでもある程度でなければならないのだ。

さて教皇から国王選挙実施を恫喝《どうかつ》された選帝諸侯。マインツ、ケルン、トーリアの各大司教とボヘミア王、ライン宮中伯、ザクセン公、ブランデンブルク辺境伯の七侯である。七侯にとっても帝権のある程度の復権は急務であった。「大空位時代」に掠《かす》め取った領地、特権を確固たるものにするためにも王は必要であった。今度は二重冊立は許されない。それでは、誰に白羽の矢を立てるか？

とりあえず候補者を挙げてみる。まず、フリードリヒ・フォン・チューリンゲン。後のチューリンゲン方伯。母方の祖父がフリードリヒ二世である。しかしこの時にまだ弱冠十六歳。それにフリードリヒ二世との血縁を教皇は忌み嫌う。次に、バイエルン公でありライン宮中伯でもあるルードヴィヒ。実力は十分である。一二六八年に非業の死を遂げたシュタウフェン朝最後の嫡流コンラディ（フリードリヒ二世直系の孫）の母方の叔父である。しかしケルン、トーリア各大司教と激しい土地争いを展開中でとてもこの両選帝侯の票は望めない。さらに弟ハインリヒとの骨肉の争いで身動きがとれない。早々と自ら立候補を断念する。どうも適当な人材が見当たらない。

さて、このたびの選挙は帝権のある程度の復権を目指すものであって、決して絶対君主の出現を望んでいるわけではない。公爵に人がいなければ伯爵でもかまわないのだ。こうして、ジークフリート・フォン・アンハルト、ルドルフ・フォン・ハプスブルク両伯爵が消去法で残った。

この国王選挙に際し、主導権を握ったのは、七選帝侯の中ではマインツ大司教のヴェルナー・フォン・エッペンシュタインである。他に、ライン宮中伯への影響力を通して選挙をリードしたのがニュルンベルク城伯ハインリヒ。いずれもルドルフと旧知の仲である。ルドルフの軍人としての能力を高く買っており、なによりも彼の放つ不思議な魅力に取りつかれていた。彼の妙な義理堅さが彼ら二人を安心させるのである。ルドルフは父アルプレヒト同様に根っからのシュタウフェン朝の信奉者である。フリードリヒ二世亡き後、零落をかこつ帝の遺児コンラート四世に忠実に仕え、そのあまりの忠勤ぶりにローマ教皇から破門されるくらいであった。

こうしてルドルフ・フォン・ハプスブルクに白羽の矢が立った。この小文の冒頭に紹介したバーゼル市前の野営での一幕が生まれたのだ。痩《や》せて長身、頭部が比較的小さく、四肢が細く長く、顔の色は青白く、引き締まった顎《あご》、そして特徴的な鷲鼻、髪の毛は薄く、みなりは常に質素で信義に厚い五十五歳のドイツ王が誕生した。

真っ先にルドルフ新王に忠誠を誓ったのは、あのニュルンベルク城伯ハインリヒである。この熱烈なルドルフ信奉者はホーエンツォレルン家である。ハプスブルク家の新王朝創設にホーエンツォレルン家が積極的に手を貸す。数百年後、両家の確執が激しくなり、一八六六年、ハプスブルク家がホーエンツォレルン家の創設したプロイセン王国の軍門に下ることになるのも歴史の皮肉だろうか。

さて、新王即位の礼の直後、帝国諸侯の臣従の誓いと所領安堵《あんど》（レーン＝封土）が行われる。大事な儀式である。この封土授与式には王者の象徴である王笏《おうしゃく》が絶対不可欠である。しかしルドルフの手元にはそれがなかった。古都アーヘンの大聖堂に参集した選帝侯を始めとする帝国諸侯は王が神器なしに封土ができるのかと思案投げ首となった。その時、新王ルドルフは即座に傍《かたわ》らにあった十字架を摑《つか》み、張りのある声で決然と宣した。曰《いわ》く、「この世をお救いになる神の象徴が王笏の代わりとなる！」と。諸侯は声をのむ。一瞬、静寂が走った。突然、「国王、万歳！」の叫びがうねりとなって大聖堂にこだました。中には「新王は英邁《えいまい》であられる」と涙するものさえいた。諸侯は「皇帝のいない、恐ろしい時代」が終わったことをしみじみと感じ取ったのだ。ゲーテがこんなことを書いている。「カール大帝に関して私たちは、とてもこの世のものと思えぬたくさんの話を聞かされてきた。しかし私たちにとって歴史への興味はルドルフ・フォン・ハプスブルクをもって初めて始まるのだ。彼こそがその剛毅でもって未曾有《みぞう》の大混乱に終止符を打ったのだ」と。

しかし、ことはそう簡単に運んだわけではない。アーヘンでの封土授与式には一人の欠くべからざる人物が見当たらなかった。選帝侯の一人であるボヘミア王オタカル二世である。ドイツ王の絶対権力確立を目指すならば、我こそ新王にふさわしい。自ら恃《たの》むところ甚《はなは》だ多いオタカルはドイツ王位を狙っていた。だからこそ教皇グレゴリウス十世の意を受けて、異教徒のプロイセンとリトアニアにたいして二度までも十字軍を仕掛けたのだ。教皇の御気持ちは我にあるはずである。選帝侯会議が意見一致しなければ、王位は我がものとなる。オタカルは選帝侯会議欠席戦術を採った。

しかし、彼の誤算は他の選帝諸侯が一致して彼を排除にかかったことである。ことはなんであれ、諸侯が一つにまとまる。こんなことは帝国ではここ十数年ついぞなかったことである。それほど、オタカルは諸侯にとって危険だったのだ。そう、オタカルには力がありすぎる！　ともあれ、彼は選帝侯会議には代理を立てた。失敗だった。彼の意向はことごとく封殺された。選帝諸侯のボヘミア王封じ込めは成功した。

さて、ドイツ王即位にあたってルドルフ・フォン・ハプスブルクは選帝諸侯より新王としての任務が課せられた。すなわち「大空位時代」に帝国諸侯によって散々蹂躙《じゅうりん》された秩序を旧に復すること。帝国内の全ての封土を一二四五年のフリードリヒ二世廃位以前に戻すこと。もちろん、この原則はオタカルを除く選帝侯領には一切適用されない！　選帝侯は「大空位時代」に強奪したあらゆる特権を合法化できるというわけである。そして一人オタカルには獲得した領地を吐き出させようとするのだ。

一二四六年、バーベンベルク家のオーストリア公フリードリヒ二世好戦公がハンガリーとの戦いで命を落とした。彼には嗣子《しし》がいない。バーベンベルク家の男系が途絶え、好戦公の姉妹と姪《めい》が残された。かつてフリードリヒ・バロバロッサ（赤髭王）が与えた小特許状により同家には女系の相続が許されている。

一二五二年、当時ボヘミア王の世継ぎで二十二歳のオタカルが好戦公の姉マルガレーテと結婚する。花嫁は四十六歳である。オタカルはオーストリア公となり、一二六〇年、対立国王リチャード・フォン・コーンウォールによりバーベンベルク家の全所領を封土される。すると、公妃マルガレーテが「かつてトーリアで修道女になっていたという事実が突然、人々の間で思い出され、これにより結婚解消の理由が見つかり」（H・アンディクス）、翌六一年、オタカルは二十四歳年上の妻を放り出し、ハンガリーの美しいプリンセス、クニグンデを新しい妻に迎える。

こうして、オタカルの所領は莫大《ばくだい》なものとなった。父王から相続したボヘミア、メーレンに加えて、オーストリア、シュタイアーマルク、ケルンテン、クラインを領有する。当時の年代記作者に「金持ち王」と呼ばれるゆえんである。

この勢力を背景にオタカルはルドルフ・フォン・ハプスブルクを「貧乏伯爵」と呼び、果ては「法衣姿の兄弟ルドルフ」と乞食僧呼ばわりで、ドイツ王とは決して認めようとはしなかった。ルドルフによる召喚にも、一向に応じる気配を見せなかった。

こんなオタカルを退治せよ、少なくともオーストリアを取り上げその勢力を殺《そ》げ、というのが新王ルドルフに選帝諸侯が突きつけた要求である。ルドルフもオタカルをこのままにしてはおけない。そこで彼は一二七四年十一月、ニュルンベルクで諸侯会議を開き、宣した。「ボヘミア王が一二七五年一月までに彼が封主たるドイツ王の前に現れ膝を屈し、忠誠を誓わぬ時は、そのものを帝国法の保護外に置くものとする」と。それでもオタカルは召喚に応じない。武力による決着しかない。ところが、選帝侯をはじめとして帝国諸侯はルドルフのお手並み拝見と決め込み、ほとんど兵を出さない。ルドルフ対オタカル。断然オタカルの方が有利だ。

しかしルドルフには「自分の個人的目的をなし遂げようとする時、いつもタイミングよく同盟者を見つけることができるという才能があった」（E・クランクショー）。ルドルフはチロル伯マインハルト二世、ゲルツ伯アルプレヒト、それにニュルンベルク城伯ハインリヒ、そして下バイエルン公ハインリヒを味方につけた。彼は一二七六年九月一日、軍勢二千騎でニュルンベルクを発進した。目指すのは敵の本拠地ボヘミアではなく、オーストリアはウィーンである。

十月十八日には同市を包囲し、ウィーンの森のなだらかな丘に広がる広大なぶどう畑を焼き尽くすと、ウィーン市民を恫喝《どうかつ》した。たちまち市門が開き、ルドルフは無傷で入城した。オタカルは膝を屈した。そこで、取り決めが結ばれた。オタカルの帝国追放令は取り消し、ボヘミアとメーレンは改めて封土される、しかしオーストリア、シュタイアーマルク、ケルンテン、クラインは帝国が没収する、と。さっそく、封土授与式が行われる。「ボヘミア王は宝石をちりばめた金箔《きんぱく》の衣服を纏《まと》い、多くの従者とともに現れた。諸侯はドイツ王に、『殿、王に相応《ふさわ》しき装いをなされませ』と詰め寄った。ルドルフは答えた。『ボヘミア王はこれまで散々、余の灰色の衣服を嘲《あざけ》ってきた。だがいまや余のこの灰色の衣服が彼を嘲るのだ』」（B・ファッハ）。オタカルはきらびやかな衣装がいかに汚れようとも、封土を受けるためにはルドルフの前に跪《ひざまず》かなければならなかった。そして見すぼらしいみなりのルドルフがオタカルを文字通り見下ろすことになった。

帝国諸侯は皆一様に驚いた。ともかくルドルフは、ほぼ独力でオタカルを屈服させたのである。特に選帝諸侯はちょっとあてが外れたようだ。オタカルにルドルフを咬《か》ませる。オタカルも無傷ではいられない。そしてルドルフはすでに五十五歳。治世はそんなに長くは続くまい。するとまたぞろ国王選挙である。そこで再び特権を伸長させる。恐らく選帝諸侯はこの位のつもりでいたのだろう。ところがルドルフはあざやかな手つきでオタカルに轡《くつわ》を取らせたのだ。

王ルドルフ、侮《あなど》りがたし！　の空気が諸侯に広がった。するとバランス感覚が働くものだ。下バイエルン公ハインリヒが今度はオタカルに擦《す》り寄った。これに意を強くしたオタカルは一二七八年夏頃から再び軍備を整え、まずポーランドを味方につけた。さらに旧領地のオーストリア、シュタイアーマルクらの豪族、ウィーン市民に同盟を呼びかける。ルドルフの新しい税制に不満たらたらの彼らはこれに得たりやおうと応じる。ルドルフは苦しい立場に追い込まれた。しかし今回も彼の不思議な才能が遺憾なく発揮された。ハンガリー王ラースロー四世が味方についた。それでも兵の数ではオタカル陣営に及ばない。しかしハンガリー騎兵は軽装で動きが敏捷、しかも勇敢である。決戦の日が近づく。

一二七八年八月二十六日、ウィーン北東四十キロのマルヒフェルトが戦場に選ばれた。ルドルフはいつも戦いをなぜか金曜日に行う。バーゼル司教が勝利祈念のミサを行う。ルドルフ陣営の鬨《とき》の声は「ローマ、ローマ」「キリスト、キリスト」。そして目

オタカルを破るルドルフのアレゴリー

印は白または赤の十字。一方、オタカル陣営の鬨の声は「プラーガー、プラーガー」。目印は緑の十字。決戦の火蓋《ひぶた》が切られた。もちろん、ドイツ王、ボヘミア王、いずれも自らそれぞれの軍を指揮する。戦闘中、ルドルフは落馬した。すぐさま近くの騎士に救われ、ことなきを得たが、やはり寄る年波には勝てない。この時、彼はすでに六十に近い歳である。体力の衰えは計略で補う。

両軍の膠着《こうちゃく》状態を破ったのはルドルフがあらかじめ用意していた五、六十騎からなる伏兵であった。予備兵を置くという発想は「騎士の戦い」の時代においては革命的であった。満を持していた五、六十騎は体力の消耗の激しいオタカル軍の側面を突いた。思いもよらぬこの攻撃にオタカル軍はたちまち総崩れとなる。そしてオタカル自身、その混乱の中で命を落とした。

ルドルフは勝った！　問題は戦後処理である。譲るべき所は譲り、拒否すべき所は、断固として拒否し、恩威相並ぶ王道を歩むことである。それでこそ帝国の未曾有の混乱に終止符が打たれる。ルドルフ・フォン・ハプスブルクにとって王道とはなにか。それは、シュタウフェン朝フリードリヒ二世まで代々のドイツ王に脈々と受け継がれてきた崇高な帝国理念を放棄することである。九六二年二月二日オットー大帝がローマで教皇ヨハネス十二世によりローマ皇帝の帝冠を受けて以来、ドイツはイタリアを領有し、やがてはかつてのローマ帝国を再現するという、空疎な理念に取りつかれてしまった。

　それから三百年。リアリスト、ルドルフ・フォン・ハプスブルクはこの理念にハッキリと背を向けた。とりあえずはイタリアから手を引く。まず王家の家領を固めることに全力を注ぐ。それがひいては帝国の安定に繋がる。これがルドルフのクレド（信念）となった。領地を一円支配する。オタカルにたいする勝利によってルドルフは家領獲得政策に乗り出した。オーストリア、シュタイアーマルク、クライン、ヴィンディシェ・マルクを、ハプスブルク家の家領とする。しかし、焦ってはならない。ここで、帝国諸侯の反発を買えば第二のオタカルともなりかねない。拙速は慎むべきである。彼のモットーは「いかに愛されるか」である。

　信義に厚い王ルドルフは慎重にそして陽気にことを運ぶ。マルヒフェルトの戦いの大勝利から六年後の一二八二年のクリスマス前、ルドルフはオーストリア一帯をついに息子二人に封土することができた。オーストリア・ハプスブルク家が誕生したのだ。かくしてオーストリアは神に選び抜かれた家、「ハプスブルク家神話」の誕生の地となる。以後、七百年にわたって同家は、途中スペイン・ハプスブルク家という輝かしすぎる幕間を挟みながら、オーストリアを根拠地として世界の歴史を彩ることになった。

ルドルフ・フォン・ハプスブルクは老いた。彼は死期を感じると、シュパイヤーに自ら馬を駆った。彼にまつわる最後の伝説が彼をしてこう言わしめている。「余はかつてやはり王であった余の前任者たちが眠るシュパイヤーへ行く。余をそこに連れていってくれるには及ばない。余は余自身が馬を駆り、彼らに会いに行く」。一二九一年七月十五日、ルドルフ・フォン・ハプスブルクはハプスブルク家の人々が舞い踊る舞台を残して死んだ。享年七十三歳。

ルドルフ四世①

偽書の快走

贋造の中世

近世はいざ知らず、中世以前は偽造文書というと作者はまず神官、僧侶と相場が決まっていた。なんといっても神官、僧侶は当時の唯一のインテリであり、そして欲が深い。つまり、昔の偽造文書とは王侯たちが寺院、教会に振り出した寄進状、特許状の類《たぐい》がほとんどである。当寺院はかくかくの寄進を受けた、当修道院はしかじかの特権を授かった。と文書ででっち上げるのである。偽造するに紙がなければ石にまで嘘《うそ》を刻み込む。紀元前千数百年の古バビロニア時代の石碑には、さらに数百年前のアッカド帝国時代に当寺院は皇帝よりこれこれの寄進を受けたという嘘が刻み込まれている。そしてこの石碑の最後は「これは本当に真実なのだ」と結ばれている。まことに、神官、僧侶たちがこうした文書の偽造に賭ける情熱たるやすさまじいものがある。自分たちの生存と直接繫《つな》がっている情熱である。

「人はパンのみにて生くるにはあらず」というが、無論、パンなしでは生きられない。自らの信仰を貫き通すために、先ずパンを確保する。そのための偽造行為とはまさしく信仰の一環である。大事な布教活動でもある。ひたぶるに偽造せねばならない。こうしてできた偽造文書は、深い信仰に裏打ちされた、一種の霊感の書と呼んでも差し支えないくらいである。それほど、これらの偽造文書は至極真面目に作られたのだ。中世のベストセラーにもなった『トロイ戦争「目撃者」の手記』のような洒落《しゃれ》た遊びなどはごくごくまれな例である。(『芸術新潮「万国贋作博覧会」』参照)

ところで、偽造作成に血道を上げるのは、詰まるところ真書への絶対の信頼があるからである。言葉をゆらぎようのない絶対なものだと信じる所から偽造は生まれる。文書主義とでもいうのか、なにしろ書かれた言葉(エクリチュール)がすべての規範となる。口約束のような生易しいものではない。ここにこれこれ書かれているから、この権利は我々のものである、などということを人々は数千年前からやってきたのである。とりわけ「初めに言葉ありき」文明がそうだ。「聖書という一冊の本が基礎になって文明から何から何まで作られている。だから反対に、偽造という観念がすごくクリアーな形で発生する」(中沢新一)というわけである。

これにたいし例えば中国の荘子などは、「則君之所読者　古人之糟粕而巳（スナワチ君ノ読ム所ノ者ハ、古人ノ糟粕ノミ）と説くことによって言葉で書かれたものへの絶対の不信を表明している。「不立文字」とまず言葉の無力を言い立て、真理とは「心ヲ以テ、心ニ伝エル」もの、とする禅家もその口である。ここから日本の中世芸術に口伝、秘伝の思想がはびこり、なにごとも「……之口伝、秘スベシ、秘スベシ」と世界を鎖してしまったのは周知のことである。日本の中世に偽書があまり「クリアーな形で発生」しなかったのは、この辺に理由があるのだろう。なぜなら、偽書とは言葉の開放性、普遍性に基礎を置く社会でしか効力を発しないからである。

ある文書がある。その内容に感銘するか、冷笑するか、狂喜するか、落胆するか、承知するか、不承知か、いずれにせよ、書かれた言葉が「不特定多数の人々の眼に自由にさらされる」（山形孝夫）、あるいは他人にそれを伝達できる。これが前提である。だからこそ、その文書はそれを読む人たちにそれぞれの波紋を投げ掛ける一つの石となる。その文書を軸にしてさまざまな人間模様すら読み取ることもできるのである。これは言葉の開放性、普遍性を信じる社会のことである。

ヨーロッパの中世ほど偽書が出回った時代はないというのが、この「贋造の中世」、人々は全身をキリスト教に染め上げられていた。そしてキリスト教とは「言語によって、コトバによって、神が自己自身を掲示する宗教」（山形孝夫）であり、普遍性を徹頭徹尾、言葉でもって追求しようとしていたのである。このように言葉がものごとの根本であるならば、その言葉がちょっとでも変われば、ものごと全体はたちまち、様相を一変させてしまうのである。言葉をいじることですべてを自分に都合よく変えてしまおう、と思うものが輩出するのも無理はないだろう。

しかし、であるからこそ、ひたぶるに偽造せねばならない。文書偽造とはまかり間違えば世界の秩序を一変させることにもなりかねない、まったく大それた行為なのだ。なにしろ神ならぬ身でありながらものごとの根本を変えようとするのである。罪悪深重、万死に値することやもしれないのである。精進潔斎《しょうじんけっさい》、斎戒沐浴《さいかいもくよく》し、それこそ厳《げん》粛《しゅく》な気持ちでおもむろに偽造せねばならない。細心の注意を払い、真書に寸分違《たが》わぬものを作り上げなければならない。あるいは、いま一つの真書を書き上げる気持ちで取りかからねばならない。つまり、模造であるなら実在の真書、捏造《ねつぞう》であるなら架空の真書にたいして深い畏《おそ》れと反省をもたねばならない。とはすなわち、真書がもつ、あるいはもっているはずである形というものに徹頭徹尾こだわることである。下世話な例だが、安酒を高級酒と銘打って売るには容器こそ唯一の決め手である。

羊皮紙、それを滑らかにするための軽石、それに古色をつけるための煙草溶液

（もっとも中世ヨーロッパにはまだ煙草は出回ってはいなかったが）、黄色く変色した文字を書くためのインク（錆釘《さび》などを使用する）、頻繁に薄い刃で削らなければならない細い羽ペン等々。そろえるべきものにこと欠かない。そしてなによりも欠いてはならないのは文献学の知識である。

ところで、古文書の碩学《せきがく》、能書家といえば中世においては学僧のことをいう。僧院の文書館で書物を相手に学究に励む古文書学僧、装飾画家、写本装飾家、写字生がそうだ。かくして中世の僧院は文書偽造工房となり、自分たちの宗派の布教活動の一環として数多《あまた》の偽書を世に送り出した。その中でも『偽イシドール文書』『コンスタンチン大帝の寄進状』がヨーロッパ中世二大偽文書。いずれも初期中世に作成され、盛期中世においてローマ教皇権の確立に大いに役立つ。偽作とわかった時はすでに後の祭り、偽作者たちは十分すぎるほどの甘い汁を吸い終えてきた。それほど見事な偽文書であった。

ルドルフ四世の五通の偽文書

やがて、時移り、後期中世。世の中進んだというのか、文書偽造も僧院の専売特許とはならなくなった。文書主義が世に広く蔓延《まんえん》したのを見て取った俗世の連中もやおら文書偽造に手を染めるようになる。すでに盛期中世において「自由・ハンザ都市ハンブルク」はそれこそ市ぐるみで港湾建設許可文書である「皇帝文書」をでっち上げ、同市の後の繁栄の礎を築いている。これから取り上げる偽造文書も出所は僧院ではない。

作成されたのは一三五八年から五九年にかけての冬（推定）。偽造工房はオーストリア公のウィーン政府官房。したがって製作者はオーストリア公ルドルフ四世。実際に指揮を執ったのは宰相ヨハネス・フォン・プラッツハイム（推定）。偽文書は全部で五通。他に二通の手紙が添えられている。五通の文書の日付は古い順から、一〇五八年十月四日（この文書に二通の手紙が添えられている）、一一五六年九月十七日、一二二八年八月二十四日、一二四五年六月?日、一二八三年六月十一日となっている。文書の内容はいずれも、歴代のドイツ国王あるいは神聖ローマ皇帝が代々のオーストリア領主にたいしこれこれの特権を授けた、というものである。

さて、いちばん古い日付でも実際の作成年から三百年と隔たってない。中世という時代の遅々たる歩みを考えれば、二、三百年前などは、ついこの間という感じであろう。偽造も比較的簡単である。そして偽造の指揮を執った宰相ヨハネス・フォン・プラッツハイムはクルト、ブリクセンの司教を歴任した当時の大教養人であった。大学（恐らくパリ大学。当時まだドイツ語圏には大学はなかった。ドイツ語圏最初の大学であるプラハ大学創設は一三六五年のことである）に学び、マギスターとなる。主君オーストリア公ルドルフ四世が創設したウィーンのシュテファン教会に属する修道院の聖務日課のうち、朝課、第三時課、晩課にそれぞれ決まって朗唱されるラテン語の「祈禱《きとう》」文はいずれもこの文化人宰相の作であった。かかる人物の手になる偽造である。万に一つも手抜かりはないはずである。偽造工房の所在地ウィーンは、二世紀に古代ローマの哲学者皇帝マルクス・アウレリスがこの地で病没してからこの時すでに千年近くを閲《けみ》している。バーベンベルク家の都となって四百年、同家断絶の後を襲ったハプスブルク家の都となってはや百年。すなわち、ウィーンとは後期中世においてすでに古さび、偽造という秘儀が似合う街であった。

こうして時を得て、人を得て、地を得てこの五通の偽文書は完璧《かんぺき》な姿を表すはずであった。しかし、そうはならなかった。二つの致命的欠陥があった。それはいずれも五通の偽文書そのものの欠陥ではなかった。それらはむしろ完璧であった。偽文書の発表の仕方がまずかったのだ。偽文書に添えた二通の手紙がせっかくの労作を無駄にしたのだ。これは、ひたぶるに偽造するという迫真さの欠如、真書にたいする深い畏れと反省の欠如を物語っている。偽文書の出所が聖職者絡みではなく、俗世であることが原因なのか。しかし、そもそもこの二つの致命的欠陥は、偽文書の作製動機のそのものの中に胚胎していた。少なくとも作製を命じたオーストリア公ルドルフ四世にとっては、五通の完璧な偽文書と二つの致命的欠陥のアンバランスこそがこの偽書全体の見せどころであったのだ。つまり公は、誰にもそれとわかる欠陥を見せつけることによってなんらかの意思表示をしようとしたのである。どういうことか。

神聖ローマ帝国皇帝カール四世の金印勅書

五通の偽文書が初めてかつ一挙に世に公となったのは一三六〇年十一月はニュルンベルクでのことであった。オーストリア公ルドルフ四世が時の神聖ローマ帝国皇帝カール四世の求めに応じて提出したのである。どんな経緯があったのか。この辺りから説いてみるのがいいだろう。

ことの発端は、神聖ローマ帝国皇帝（ドイツ国王）カール四世が一三五六年に公布した金印勅書にある。神聖ローマ帝国とは、ドイツ国王オットー一世が九六二年にローマ法王ヨハネス十二世よりローマ皇帝に戴冠されたことに始まる帝国である。版図は十四世紀には現代のドイツ、オーストリア、スイス、イタリア北部、オランダ、ベルギー、チェコ等々に跨《また》がっている。複数の民族、国家を統治する君主国のことを帝国と称するのだから、その点では帝国という名に恥じることはなかった。しかしそれだけであった。後は帝国という名称にふさわしい実体などなに一つなかった。

帝国が実体をとどめていたのは「ドイツ皇帝時代」と呼ばれるザクセン朝、ザリエル朝、シュタウフェン朝の三王朝の時代まで、すなわち十三世紀前半までだった。そして十三世紀後半。中央権力の真空状態。皇帝がいない「大空位時代」が二十年にも及ぶ。つまり、後にヴォルテールが「神聖でもなければ、ローマ的でもなく、そもそも帝国ですらない」と診断したこの帝国宿痾《しゅくあ》は、この時すでに全身を蝕《むしば》み始めていた。十四世紀、帝国の遠心分離作用はとどまるところを知らない。

さて後期中世になると帝国は貨幣鋳造権、関税徴収権、裁判高権らの主権をもった三百余の領邦（ラント）と帝国都市とでなっていた。有力な領邦国家はたがいに牽制しあい、逆に動きが取れず、群小領邦国家はなんとか勝ち馬に乗り、領土安堵を得んと暗躍する。帝国の体をなしていなかった。皇帝（ドイツ国王）も領邦諸侯の一人にすぎなかった。皇帝は血統権原理によってではなく、選挙原理によって決まるのである。有力な領邦諸侯が集まり、自分たちにとって無難な人物を皇帝に推戴《すいたい》するのである。これらの諸侯を選帝侯と呼ぶ。ところで皇帝に選ばれる無難な人物とは、疑獄事件で動きが取れなくなった大派閥によってその場しのぎにと名目上の最高権力者に据えられたどこかの国の首相のような人物のことをいう。カール四世もこうして推戴された皇帝である（ちなみに、十五世紀まではドイツ王即位後、ローマで法王により戴冠されたドイツ王のみが皇帝を名乗ることができた）。

しかし、カール四世は英邁《えいまい》な主君であった。もちろん、徹頭徹尾、領邦君主であった。まず我が家ルクセンブルク家があった。帝国はその次だった。帝国全体の利益よりも自家のそれが優先する。選ばれた皇帝という地位をルクセンブルク家の本拠地ボヘミアのために徹底的に利用した。それがあまりにも露骨なので「ボヘミアの父であり、帝国の継父」とまで言われるほどであった。しかし、力あってこその皇帝である。それゆえ、なにもカール四世に限らず、当時の皇帝は誰でもまずは自家の家領の充実と拡大を図る「家領政策」を推し進めたのである。こうして無難な人畜無害と思われた人物がやがてしたたかな食えない人物へと変身し、血統権を主張し皇帝位を自家の世襲にすべく画策するようになる。一三五六年に発した金印勅書もその一環である。

皇帝選出（ドイツ国王）に選挙原理が根を下ろし始めた時、いわゆる有権者である有力領邦君主は四十人ほどいた。そしてそれがしだいに減少し、十三世紀末には聖俗あわせて六人ないし七人の選帝侯が皇帝を選ぶことになる。

ところが厄介なことに、この皇帝選挙は全員一致を建前としていた。いやしくも神により世俗の最高権力を授かるものの選出である。こうした神の意思は全員に遍《あまね》く等しく啓示されるはずである、というわけである。当然、遍く等しく啓示されないことが起こる。多数派、少数派あい譲らず、全員一致が得られないことがある。少数派が選挙の席から退席する。そこで多数派だけの全員一致が生まれる。皇帝選出。しかし、少数派はこの決定に拘束されない。そして少数派だけの全員一致により別の人物を国王に選出する。一天両帝、すなわち対立国王の存在である。

カール四世自身がその一人であった。バイエルンのヴィテルスバハ家出身のルートヴィヒ四世にたいして反バイエルン派の代表としてドイツ国王に擁立されていたのである。しかしこの対立王時代はルートヴィヒ四世の急死により長く続きはしなかった。長続きしていれば下手をするとドイツの修復不可能な完全分裂、帝国の完全解体を招いていたかもしれない。そこで唯一人の国王となったカール四世は早速改革に着手した。国王（皇帝）選挙の手続きの法文化である。

まず国王（皇帝）選挙は、マインツ、ケルン、トーリアの各大司教、ボヘミア王、ライン宮中伯、ザクセン公、ブランデンブルク辺境伯の七人による選帝侯会議にて行う。選挙は公開で行い、多数決原理に従う。そして選挙結果を承知しない選帝侯は選挙権を失うことになる。これが金印勅書として公布された帝国基本法の骨子である。

しかし、これは同時に帝国の四分五裂状態の法的追認であり、固定化でもあった。この帝国基本法の付帯条項により選帝侯に大幅な特権が与えられたのだ。選帝侯領は分割禁止、長子による相続（中世は男子均一相続が主で代替わりのたびに領地が細分化されるのが常であった）、貨幣鋳造権、関税徴収権、鉱山採掘権、裁判高権はもとより、選帝侯への反逆は大逆罪として処罰される等々。これでは選帝侯領は帝国内における独立国家となんら変わりがない。事実そうなったのである。

こうなると、その七選帝侯家が問題となる。マインツ、ケルン、トーリアの各大司教（当時の修道院長や司教などは実質上の領邦君主であった）職は、聖職者の独身制が守られていたかどうかは別として、原理上世襲はあり得ない。すると問題は四在俗選帝侯である。そしてボヘミア王国領、ブランデンブルク辺境伯領はいずれもルクセンブルク家の家領である（正確に言えば、ブランデンブルクがルクセンブルク家領となるのは金印勅書発布直後）。ルクセンブルク家は皇帝選挙権を二票手にしているのである。七票のうち二票を握っている。過半数まであと二票。帝位はルクセンブルク家の世襲に限りなく近づいた、と言っていいだろう。事実、カール四世以降、同家は途中の一代十年を除き、三代続けて帝位を独占し、同家による帝国統治は八十有余年に及ぶことになる。

ルドルフ四世のパフォーマンス

この金印勅書には大きな瑕疵《かし》があった。否、カール四世にはそれこそが狙いであった。すなわち、多大な特権が与えられた七選帝侯の中に、バイエルンのヴィテルスバハ家、オーストリアのハプスブルク家が入っていない。南ドイツの有力な二領邦国家が帝国の中枢から周到に排除されたのである。このカール四世の処置にたいし両家は対照的な反応を示した。その頃ヴィテルスバハ家は一族の間で内紛があり、一門は容易に家督に従わない状態であった。金印勅書に「理不尽な!」と叫んでも直接行動に出る余裕はない。勢い、ここは捲土重来《けんどじゅうらい》を期し臥薪嘗胆《がしんしょうたん》作戦を採るしかなかった。

一方、ハプスブルク家。一時の低迷を脱し、再び家運隆盛に向かう矢先であった。家領もオーストリア、シュタイアーマルク、ケルンテン、クラインと四つの公爵領に跨《また》がっていた。これは賢侯の誉れ高かったアルプレヒト二世の巧みな外交政策によるものであった。そして金印勅書公布当時、一門の当主はこの賢侯であった。したがって、反金印勅書文書である一連の偽造文書の作製を命じたのはアルプレヒト二世であるという説もある。ともあれ、ハプスブルク家は勅書という文書にたいしては文書をもって対抗せんとしたのである。金印勅書公布の二年後賢侯が死去。後を襲った長子ルドルフ四世は勅書に対する偽文書作戦を強引に推し進める。ことと次第によっては直接、干戈《かんか》を交えることも辞さぬ気合で金印勅書に立ち向かうのである。

ところで、ルドルフ四世はカール四世の娘婿である。万事に慎重で粘り強かった父アルプレヒト二世とは正反対な性格。なにごとにつけても電光石火に処理しなければ気がすまないたちである。おまけに途方もない夢想家にして冷たい打算家。そんなルドルフが一三五九年、突然いろいろな称号を、中にはいままで聞いたことも見たこともない称号を纏《まと》い帝国の舞台に現れた。自分はオーストリア公、シュタイアーマルク公、ケルンテン公、クライン公（伯爵領から昇格）の他に帝国狩猟長官であり、シュヴァーベン公、アルザス公、そしてプファルツ大公であると主張したのである。帝国狩猟長官という帝国最高の宮内官職の僭称《せんしょう》は明らかに八番目の選帝侯への立候補宣言であったのだろう。ケルンテン公爵領の関係からこの最高宮内官職を僭称したのだろうが、この職は当時ではマイセン辺境伯が就く職であった。シュヴァーベン、アルザス公というが、ルドルフはアルザス帝国領代官にすぎなかった。

さて、プファルツ大公。誰も聞いたこともない官位であった。たしかにプファルツ伯という官位はある。宮中伯で、君側で君主家の家政を取り仕切る職である。しかしプファルツ大公とは、まったく想像の産物であった。大公とはなにか。そもそも俗世には公爵（ヘルツォーク）の上の官位はない。しかし、聖界にあっては司教（ビショッフ）の上に大司教（エルツビショッフ）がいるではないか。なぜ俗世に大公爵（エルツヘルツォーク）がいてはならないのか。ルドルフは勝手に想像力を働かせる。王冠とみまごう大公冠さえ用意し、それを被り得意満面に人前に現れた。もちろんこれは四つの公爵領を背景にしたごり押し特権要求であり、舅殿カール四世の政策への反対を強烈にアピールするパフォーマンスである。

カール四世は娘婿の突然のパフォーマンスに面食らう。しかし文書主義とでもいうのか、なにごとも文書がものをいう世界である。そこで舅殿は娘婿にたいして要求の根拠となる証拠文書の提出を求めた。一三六〇年五月のことである。そして同年十一月、婿は望むところだと五通の文書と二通の手紙を提出する。もちろん、例の偽造文書である。

ここで誰しも思うかもしれない。証拠書類となるのだから、どんな鑑定にもびくともしない、さぞかし入念に作られた、いわば偽造の粋を集めたものが皇帝に提出されたはずであると。しかし皇帝の執務机の上に積まれた書類はいずれも真偽を鑑定できるような代物ではなかった。鑑定もへったくれもない、皇帝が手にしたのは偽文書のオリジナルではなく、一三六〇年七月にルドルフが右筆《ゆうひつ》に前もって写筆させておいたコピーだったのである。そしてそのコピーを提出したルドルフの言いぐさが奮《ふる》っている。オリジナル文書（偽文書）は大変貴重なもので、万が一の紛失を恐れて門外不出。コピーで勘弁されたい。その代わり、このコピーがオリジナル文書（偽文書）を一字一句たりとも変更なく写したものであると数人の聖職人が保証している。彼らの署名を添えたので、とくとご覧いただきたい、と。

なんなのかこれは？　しかもこの聖職者のうち一人はイタリア人であり、ドイツ語をほとんど解さなかった。ところが、「五通の文書のうち一つは、一二八三年にルドルフ・フォン・ハプスブルクが承認したものであると称するもので、実はドイツ語で書かれている。これがただちにラテン語に翻訳されて、その翻訳をかのイタリア人聖職者は真正なものだと請けあっているのである」（アルフォンス・ローツキー）。しかし、その翻訳が正確無比であったと保証する某々の署名までは添えられていない。

再びなんなのかこれは？　五通の文書はカール帝以前の歴代の国王、皇帝がオーストリアという領地とその領主に与えた特権を記した特許状である（①、一〇五八年十月四日、国王ハインリッヒ四世がエルンスト・フォン・オーストリア辺境伯に②、一一五六年九月十七日、皇帝フリードリヒ・バロバロッサ〈赤髭王〉がオーストリア辺境伯を公爵領に昇格させ、オーストリア公となったハインリヒ二世に③、一二二八年八月二十四日、国王ハインリヒ七世がオーストリアとシュタイアーマルクのレオポルト四世に④、一二四五年六月、皇帝フリードリヒ二世がオーストリア公フリードリヒ二世に⑤、一二八三年六月十一日、国王ルドルフ一世がアルプレヒト一世およびルドルフ二世にそれぞれ特権を授けるという文書である)。そしてその特権とは、現在のオーストリア領の領主家であるハプスブルク家に「ハプスブルク家家領の完全な自立と、帝国の業務についての決定権を得ることで選帝侯に比肩できる飛び抜けた名誉を」(ヴァルター・クラインデル)授けるものである。したがってこの五通の文書によるとカール四世が金印勅書として公布した帝国基本法は、ことオーストリア公爵領に関してはその効力を失うことになる。つまり五通の文書とはオーストリア公爵領の運命を、ひいては帝国全体の運命を左右しかねない最重要文書である。

いままでその存在すら知られていなかったこのような最重要文書が突如として明るみに出てきたのだ。まずはそれらが本物であるかどうかを疑う、というのがものの道理である。それなのにルドルフ四世はオリジナル文書ではなく、そのコピーだけを提出し、平然としている。あきれたものだ。そしてもっとあきれるのは、カール四世の処置である。本来なら「ふざけるな！ オリジナルを持ってこい！」とコピーを突っ返すところだ。ところがカール四世はこれまた平然と受け取っているのである。公文書（偽文書）のコピーが正式に受理されたのである。後期中世においては公文書にたいする感覚は、かくも杜撰《ずさん》であったのか？

中世オーストリア史の泰斗、アルフォンス・ローツキーは「後期中世の手紙や公文書は法律の領域というよりはむしろ文学史のそれに属するもので、それゆえそれらを刑法学者の目だけでもって批判することは無理なのである」と説いている。古代の歴史家が、歴史の檜《ひのき》舞台に立つ人物たちに好んで演説をさせたように、中世の歴史家は登場人物に盛んに手紙や公文書を書かせたのである。これらの演説、手紙、公文書は現代の綿密な史料批判にはとても耐えられるものではない。非歴史的叙述史料とでもいうべきか。

ところが中世初期の歴史家、セビリアのイシドールによれば、歴史的事実そのものとしては伝えられていないが、必ずやそういうことは起き得たとされていることの報告もまた歴史となるのである。すると、「こんにち、偽りだとされている中世の手紙や公文書も違った判断をする必要がある（略）。オーストリア公は事実上は手にしている権利を文書で裏付けようとして、仮にかつてそうした文書が法律に則り与えられていたとしたら、恐らくこんな文書になっていただろうと思えるような文書を作製させた」（アルフォンス・ローツキー）というわけである。しかしそれにしても、杜撰《ずさん》にすぎるようだ。真書にたいする深い畏《おそ》れと尊敬の念がなさすぎる。これには提出するもの、受け取るもの、両当事者間に特別な個人的要因があるのだろうか。

目には目を！　文書には文書を！

先に書いたようにルドルフはカール帝の娘婿である。一三三四年、ハプスブルク家の当主アルプレヒト二世と当時のカール・フォン・メーレン辺境伯との間で同盟が結ばれた。そしてその証しにそれぞれの息子と娘が婚約を交わす。息子ルドルフわずか五歳、娘カタリーナにいたってはやっと生後一年である。面妖《めんよう》な話だが、それほど両家の同盟は焦眉《しょうび》の急であったのだろう。一三四八年、婚約が再確認される。つまり同盟の継続が確認される。そして一三五三年の復活祭の折、いまでは皇帝の都となったプラハで結婚式が行われる。ルドルフ十四歳である。この時すでに「ルドルフの青年らしい客気《かくき》とびっくりするほどの自意識と傲岸《ごうがん》な態度は早くから表れており、一三五三年にはツヴェッテルで彼は『ローマ王』の如く振る舞った」（ブリギッテ・ハーマン）といわれている。「ローマ王」とはイギリスのプリンス・オブ・ウェールズのように、当時では神聖ローマ帝国の帝位継承予定者の称号であった。したがってルドルフの振る舞いは帝の娘婿という地位に狎《な》れたあまりにも恐れ多いそれではあったわけである。

　ところが、その時いまだ世継ぎに恵まれていなかったカール四世はこの娘婿の振る舞いをとがめることなく黙認した。これを見て諸侯の間に憶測が走った。帝はルドルフを後継者に定めたのか、と。ルドルフもおのが行動の指針をなにからなにまで舅殿カールに仰ぐ。諸侯は、陰口を叩く。ルドルフはカールのイミテーションだ、と。もちろん、だからといってカール帝が帝位をルドルフに譲ることなど万が一にもあり得なかった。舅殿、婿殿いずれも強烈な自意識の持ち主である。舅殿の場合はそれを老《ろう》獪《かい》にオブラートに包んでいたが、婿殿は剝《む》き出しに表した。そしてその自意識は中世の場合、当然我が家への切なき思いを駆り立てる。我が一族の誇りがすべての行動様式を律する。なにゆえに他家に権力を譲るのか。なにゆえに他家が進んで当家に権力を譲るのか。あり得ないことである。諸侯の思惑は別として、カールそしてルドルフ自身がそのことを誰よりも知っていたに違いない。事実、カール帝はいつのまにかルクセンブルク家の最大のライバルとなったハプスブルク家を帝国の中枢《ちゅうすう》から排除することを決めた。金印勅書である。

ただし次のことは言えそうである。強烈な一家一門意識とは別の所で、あるいはそれを許すぎりぎりの範囲でこの舅殿と婿殿はたがいに心を通わせていたのではないか、と。金印勅書公布によってルクセンブルク家とハプスブルク家との対立が一挙に表面化するが、その後の熾烈《しれつ》な外交戦は常に婿殿が仕掛けている。そしてその仕掛けは大胆、派手、厚顔、強引、無恥、性急極まりない。要するに舅殿の顔に泥を塗る。ところが舅殿カール帝は諸侯が首をかしげるほど婿殿ルドルフ四世に甘かった。ルドルフもそれを感じ取り図に乗った。それはまるで父への甘えのようでもあった。二人の争いはなにやら出来レースのようでさえあった。

十五世紀の『オーストリア年代記』作者トーマス・エーベンドルファーは、プラハ城でのカール帝の使嗾《しそう》によるルドルフ暗殺未遂事件を報告しているが、これが事実ならば、本拠地プラハでの未遂という考えられない甘さもまた帝の気持ちの表れなのかもしれない。恐らく帝はルドルフという常識破りの婿に強く心ひかれたのであろう。あるいは我が国の戦国時代の梟雄《きょうゆう》、斎藤道三《どうさん》が娘婿である織田信長について「無念なることながら道三の子供が、たわけものの門外に馬をつなぐようになることは案の内である」と慨嘆したのと同じような思いにとらわれたのかもしれない（事実、カール帝がやがて得た嫡男ヴェンツェルは父帝に遠く及ばず、父を襲ったドイツ王を諸侯により廃せられることになる)。

もっとも、ルドルフは「人間五十年」も生きることなく、二十六歳であっさり夭折。ルクセンブルク家がハプスブルク家の風下に完全に追いやられるのはまだ幾世代か後のことである。

ともあれ、カール帝はルドルフの型破りなやり口を黙認した。証拠書類のオリジナル文書(偽文書)の代わりにそのコピーを受理したのである。大体、カール帝は金印勅書を発した時にすでにこのままでは決してすまないだろうことを覚悟している。なんといってもハプスブルク家を帝国の中枢から排除するのである。

当時、同家は四つの公爵領を支配している。さらにルドルフの曾祖父ルドルフ一世、祖父のアルプレヒト一世、伯父のフリードリヒ美王と三人のドイツ王を輩出させている家系である。なんらかのリアクションがあるに決まっている。それがこのたびの「目には目を! 文書には文書を!」作戦であった。となれば、一連の文書(偽文書)は金印勅書にたいするハプスブルク家の単なる要求書と、とればよい。単なる要求書であれば真書も偽書もない。オリジナルもコピーもない、ということになる。後はそこに盛られたハプスブルク家の要求項目をよく検討し、回答するだけである。ただしそうは言っても、この要求書（偽文書）はあくまでも、オーストリア領はこれこれのドイツ王あるいはドイツ帝によりこれこれの特権を授かっていることを証明する特許状という体裁を採っている。オリジナル、コピーの問題はこの際、問わないが、少なくとも体裁だけはきちっと整えてほしい。その点では先に書いたようにウィーンは人材豊富であった。宰相ヨハンス・フォン・プラッツハイムが主君ルドルフの意を受けてオリジナルを門外不出にさせるほど見事な種類をでっち上げたのである。

中世も終わり近くなると、文書と事実はその力関係を逆転させる。事実が先行し文書は後から追い掛けることになる。既成事実を追認するために、その事実の根拠となる文書が後からでっち上げられる。いずれにせよ文書がないと安心できない。文書主義は変わらない。しかし後から来るのだからよほどの説得力をもたなければならない。平仄《ひょうそく》にあっていなければならない。とはすなわち、平仄にあっていれば真偽はどうでもよいことになる。十五世紀、アエナス・シルビウス（後のローマ法王ピウス二世。ルドルフの子孫にあたるドイツ帝フリードリヒ三世に長らく秘書として仕える）がいみじくも言った。「粗悪な偽造だけが批判を浴びるのだ」と。

そんなわけでカール帝はルドルフの差し出した五通の文書を恐らくでっち上げと承知で受理したのであろう。カール帝は五通の特許状の真偽を問うことはしなかった。

しなかったことはそれを本物と認めたことになる。認めたところでカール帝にとっては痛くも痒《かゆ》くもなかった。帝にはとっておきの文書があった。「文書には文書を！」に対抗するにはやはり文書である。『ローマ法典学説集成』に曰《いわ》く、「対等ナル者ハ、対等ナル者ニ対シテ支配権ヲ持タズ」。

皇帝は前任者の行った処置に一切縛られることがない。いくら昔の特許状があっても今上帝の特許状がなければ効力がないという理屈である。カール帝はこのまこと便利な文言を盾《たて》に、五通の特許状をルドルフの単なる要求書に読みかえて、一つ一つ具体的に回答しようとしたのである。

ところで、この文言をカール帝に入れ知恵したのは当代最高の人文主義者フランチェスコ・ペトラルカであった。つまり、カール帝はルドルフが提出した五通の特許状と二通の手紙の処理をプロヴァンスに居を構えていたペトラルカに相談したのである。さすがペトラルカ。古代ローマのユスティアヌス帝が紀元一〜三世紀の法学説を集成公布した『ローマ法典学説集成』の中から帝にとって最も都合のよい文言を探し出し、帝の依頼に見事答えたのである。そしてペトラルカは帝への返書にこう書き添えた。

「陛下、この御仁はとんでもないうつけものでございます！」

カエサルとネロの手紙

ペトラルカは「この御仁」ルドルフにあきれ返ったのである。重要書類なのにオリジナルではなくコピーを提出したことにではない。五通の特許状を偽造したことにではない。特許状にさらに偽造した二通の手紙を添えたことにあきれ返ったのである。それではその二通の手紙とはなにか。

それは五通の特許状のうちいちばん日付が古い特許状、すなわち一〇五八年十月四日、ハインリヒ四世がオーストリア辺境伯エルンストに宛てた特許状に添えられた手紙である。それはこの特許状の補強証拠となるべきものであった。ほら、このような手紙もあるのだからこの特許状は間違いないものだ、とでも言いたかったのであろう。しかし、とんだ逆効果であった。なにしろ黄色く変色した羊皮紙には厳《いか》めしい黒文字でこう書かれていたからである。

神々の崇拝者にして、全世界の守護者であり、帝国最高のアウグストゥスたる我々ユリウス・カエサル皇帝は、高名な元老院議員とその叔父とすべての後継者にオーストリアを永遠にわたって封土するものとする……。これを世界の首都ローマにて、我が治世第一年の金曜日に与えるものなり。

さらにもう一通、

神々の友であり、その信仰を押し広げ、ローマの力を統べる、ローマ最高軍司令官たるカエサル・アウグストゥス・ネロ皇帝はオーストリアに未来永劫にわたってあらゆる税を免除する。そしてこの特権をあの偉大な神マルスにちなみ火曜日にラテラノ宮殿で与えるものなり。

一通目のカエサル文書で、「元老院議員とそのすべての後継者」とし「すべての後裔《こう》《えい》」としなかったところが偽作者の苦労のみせどころかもしれない。古代ローマは後期中世からみてもはるか遠い昔である。高名な元老院議員とハプスブルク家の血の繋《つな》がりを表す系図など長い時間の霧に紛れて簡単にでっち上げることができるだろう。つまり、いくらでも後裔になれる。しかし、ハプスブルク家の前のオーストリア領主家バーベンベルク家が断絶したのは一二四六年、わずか百年前のことである。両家に血の繋がりがないことは歴然としている。そこで後裔ならぬ後継者という文言になったのだろう。

もちろん、ペトラルカはそんなことにも目もくれない。古文書学にのっとり厳密に判断する。文書の中で皇帝が複数一人称の「我々」を使うことはない。常に単数形を使う。自らをアウグストゥスというのはもっと後代になってからの話である。文書の月日が曖昧《あいまい》である。例えば「我が治世第一年の金曜日」とあるだけで、月も日も書かれていない。「うつけもの」でなければこんな間違いを犯さない、と。

しかし、真面目くさってこんな鑑定書を書くそばからペトラルカは言いようのない徒労感に襲われたことであろう。一体、なんなのかこれは？　わざわざ古文書学など持ち出すまでもない。まずあきれ返らなければならないのは次のことだ。すなわち「しかし、それにしてもどこのドイツの領主が自分の一門の世界の檜舞台《ひのき》へのあらたなる登場がすでに古代ローマ時代の支配者によって予見され、かつ支援されていたのである、などとどうしたら主張できるのか？　仮にルドルフ四世が冷徹な計算からこの全くのインチキを作り出したとすれば、彼のことを厚かましいにもほどがある詐欺師と呼ばねばなるまい」（ゲルハルト・ヘルム）ということだ。

五通の偽文書には説得力があった。五通のうち中心となるのは一一五六年の皇帝フリードリヒ・バルバロッサ（赤髭王）の特許状である。このバルバロッサ偽文書には真書があった（そのオリジナルではないが、十三世紀にコピーされた完全な写しが現在、ウィーン近郊のクロスターノイブルク修道院の写本集、コード二九二に収められている）。皇帝バルバロッサがオーストリア領主ハインリヒ二世、別名ヤソミルゴットに与えた特許状である。その点はルドルフ作の偽特許状も同じである。ただし当然のことながら真書は大幅に手を加えられ、飛び抜けた特権を列記した偽文書となった。そこで真書が「小特許状」、偽文書が「大特許状（P．51の図）」と呼びならわされるようになる。

ルドルフの曾祖父ルドルフ・フォン・ハプスブルクがバーベンベルク家断絶を承けてオーストリアを領地にした時（正確に言うとハプスブルク家の前に短期間ながらプシュミスル家がオーストリアを領地とした）ウィーンの文書保管所で「小特許状」を見つけ、その七十七年後、曾孫ルドルフがそれを「大特許状」に作りかえた、というわけである。真書が手元にあったのだから、説得力のある偽文書は容易にできたはずである。そして他の四通の偽文書はいずれも、この「大特許状」を補強すべく拵《こしら》えられたものである。五通の偽文書に説得力があったゆえんである。それをいっぺんに駄目にしたのが例の二通の手紙、カエサル文書、ネロ文書である。よりによってカエサルとネロとは！　そしてなによりも、なぜルドルフに伺候《しこう》していた「狡猾な助言者たちが、本来の目的をむしろ駄目にしてしまう恐れ十分であるこんな奇妙な思いつきにおちいったのか？」（アルフォンス・ローツキー）

ローツキーによれば、このいかがわしいカエサル文書、ネロ文書は全くの無から突然に発生したものではない。それが生まれる土壌がオーストリアにはあったということになる。ウィーンを中心にオーストリアに広く伝播されていたカエサル伝説がそれである。

そのかみカエサルはウィーンに二年間滞在したことがある。この街の寿《ことほ》ぎのためにカエサルは街を「二年間」と命名した。二年間をラテン語でビエニウムという。それがビエンナとなり、ヴィーンとなる。つまりウィーン。さてカエサル御自ら街の名付け親となったのだ。異例なことである。カエサルはよほどこの街が気に入ったのだろう。であるならばこの街を中心とするオーストリア全体に異例とも思えるさまざまな特権を与えたとしても不思議ではない。否、与えたに違いない、というわけである。このカエサル伝説はモラヴィアやハンガリーにまで伝播《でんぱ》されたとのことである。

しかしこんなカエサル伝説もかつてのヨーロッパ辺境の地オーストリア、あるいは異民族の地ハンガリーで信じられていたそれにすぎない。ヨーロッパ先進地域では一笑に付されるに違いない。事実、付されたのだ。ペトラルカはあきれ返った。否、なにも当代一の教養人にわざわざご足労を願う必要もない。辺境の地オーストリアにいても、卑しくも生活にかかわるものならば、このことは十分に予測できたことである。宰相ヨハネス・フォン・プラッツハツムを先頭とするルドルフの側近、つまり「狡猾《こうかつ》な助言者たち」ならなおさらカエサル文書、ネロ文書を添えることで世の失笑を買うことは先刻承知のはずである。それでも両文書は添えられた。おそらくそれは、ルドルフの指示によるものであろう。側近の諫言《かんげん》をすべて退《しりぞ》けルドルフは押し切った。我がハプスブルク家こそ遠き古代ローマの時代よりその飛翔を約束されていた一族であると心底、確信していたからである。

偽書の快走

先に書いたようにカール帝はルドルフの偽文書作戦を「対等ナル者ハ、対等ナル者ニ対シテ支配権ヲ持タズ」と門前払いにしようとした。つまり、皇帝は前任者の与えた約束に縛られることはない、どんな昔の証文を持ってきたとしても、今上帝がそれを有効と宣言せぬかぎり、それはただの紙切れにすぎない。であるならば、ルドルフの提出した文書が本物であるかどうかをいちいち詮索《せんさく》するには及ばない。体裁だけそろっておればよい。ところが五通の偽文書に添えられたカエサル文書、ネロ文書。言うまでもなくこの体裁をぶち壊す。カール帝はペトラルカともども失笑し、憤激したことだろう。そしてややあって、なぜ？　と自問したであろう。我が婿殿は単なるうつけものではない筈。婿殿はカエサル文書、ネロ文書をなんとしてでも五通の文書に添えたかったのだ、と見るべきではないか？

ハプスブルク家は神に選び抜かれた家。帝国内広しといえどもハプスブルク家にまさるそれはない。独りハプスブルク家だけがその特権的地位を享受できる。この絶対の確信。この確信が事実を作り、その事実を追って文書が作られる。ここになんの矛盾があろうか。もはや文書の信憑性《しんぴょうせい》がどうのこうのという次元ではない。添えられたカエサル文書、ネロ文書にカール帝は婿殿の気迫のものすごさを見せつけられるような思いがした。カール帝がペトラルカの知恵を借り、学説集成を持ち出し、門前払いにするならば、カエサル文書、ネロ文書はそれを嘲笑《あざわら》うのだ。こんな誰にもわかる偽文書にご大層に学説集成とは。一方、真贋鑑定を行い、文書を偽文書と公式に判定すれば、舅カール帝は自ら婿ルドルフを罰せねばならない。もちろんルドルフはその罰に服する気などさらさらない。決着は武力によるしかない。カエサル文書やネロ文書には、こうしたルドルフの裂帛《れっぱく》の気合が込められている。

そしてその気合はルドルフ独特の夢想に身を寄せる。ルドルフはいままで聞いたこともないプファルツ大公を名乗り、そして大公の冠まで用意した。それは尖《とが》った先端を持つ冠である。これは「ドイツ国王ないしは神聖ローマ皇帝冠を手本にしたものでもなく、他のヨーロッパ諸国の冠を手本にしたものでもない。古代ローマ時代後期の銀貨に刻まれた異様に目映《ばゆ》いばかりの光輪を手本にしている」(アルフォンス・ローツキー)。カエサル文書やネロ文書は、この大公冠にぴったりと寄り添いながらルドルフの夢想を語る。ルドルフは舅殿カール帝ですらその栄に浴することが叶《かな》わぬ地位、すなわち栄光ある古代ローマ帝国皇帝の直接の継承者たらんとしたのである。とんでもない夢想である。

そしてこの夢想はいつしか現実に身を寄せる。古代ローマ帝国皇帝の直接の継承者になるとは、とりもなおさず絶対的帝権、王権確立を目指すことである。カール帝が金印勅書によって選帝侯に与えた数々の特権を我が家領にも導入し、そのうま味を十二分に利用し、とりあえずは領内における一円絶対支配を確立することである。封建主義体制からの完全な脱却と初期資本主義への歩み寄りである。

治世わずか七年のルドルフの内政、家領拡大政策はいずれも結果として近世への扉をこじ開けることであった。ルドルフとしては夢想と現実をしきりに往来しながら無我夢中に進むだけだった。「何かやりたいことはあるようだが、まだスタイル＝衣装もないポスト・モダンというやつが、借り着を必要としている。それがフェイク現象の実体である」(種村季弘)

とすれば、ルドルフにとってフェイクである偽造文書、とりわけカエサル文書、ネロ文書は自分の抑えきれぬ衝動になんらかの形を与えてくれる借り着であった。ここに主客転倒が始まる。ものごとの根本を定めるはずの書かれた言葉は真理ではなくルドルフ一個人の心理を包むだけのものとなる。こうしてルドルフの「借り着」は、のっけから剥《む》き出しの偽文書として姿を表すのである。ひたすらルドルフの恐ろしいまでの衝動に深い畏れを抱きながら。

この偽文書作製の六年後、ルドルフは二十六歳であっさり早世する。ルドルフが長生きしていたら、オーストリアを「天まで昇らせていたか、あるいは奈落《ならく》まで突き落としていただろう」と年代記作者エーベンドルファーは語った。

ところがその後、時が中世から近世へと移り、ハプスブルク家は世界に飛翔する。ルドルフのやりたかったことが少しずつ形を取り始める。「神に選び抜かれた一族、ハプスブルク家」という神話が広くヨーロッパ世界に広がり始める。つまり、ルドルフ一個人の心理を包むだけのものであった「書かれた言葉」が現実を自らの側に引き込んだのである。ポスト中世を模索するルドルフの破天荒な衝動は、遠き古代ローマの衣装を借りて近世へと走り抜けたのだ。偽文書の快走。

ルドルフ四世②

ハプスブルク家の下唇

レオポルト一世帝。ハプスブルク家にあってひときわ異彩を放つ。帝の結婚は祝宴は実に二年も続いた。その楽しくもばかばかしい「祝祭劇場」は、いかにもバロック大帝の異名にふさわしい。さらに名将プリンツ・オイゲンを断固として重用し、もってオスマン・トルコの野望を打ち砕いたのも忘れてはならない。

しかしこれら輝かしき事績も帝の肖像画を見ると、とたんに色あせてくる。帝の帝たるゆえんは、まさにその相貌《そうぼう》にある。もちろん、宮廷画家たちは帝の戯画を描いたのではない。そんな大それたことをするわけがない。だが、どの絵を見てもポンチ絵に見えてくる。ウィーン、マドリッド、両ハプスブルク家の血をいっぱいに受けて帝の顔は見事に花開いた。面長、輝きのない大きな目、弓形の鼻、そして唇。よくぞここまで余すところなく表れたものか。これぞハプスブルク家の顔。わけても下唇。帝

ルドルフ四世

の側近くに仕えた伝記作者P・リンクは書いている。「陛下は突き出た巨大な下唇をお持ちであられる……陛下のお言葉は必ずしも明瞭とは申されない、なぜというに、突き出た下唇によりお言葉が閉ざされてしまうからである」と。

「近代史に最初に登場した偉大な俗物」（E・フリーデル）ハプスブルク家の神君ルドルフ・フォン・ハプスブルク。彼は大変な大酒飲みであったといわれている。一説によると、ビールをなみなみと注いだジョッキを片手に路上におでまし、「ビール、そはなんと素晴らしき！」とのたまいつつ町々を練り歩き、市民の喝采を浴びたという。

さて、そんな神君の顔は。シュパイエル寺院の墓石に刻まれた像、シュテファン寺院の窓ガラスに描かれたそれ、いずれも下唇にさほどの特徴は表れてはいない。神君ルドルフとレオポルト一世にはざっと四百年の歳月が流れている。それではこの四百年の間に誰がハプスブルク家にあの下唇を持ち込んだのか。

神君ルドルフにその特徴が見られないのだから、あの下唇を持ち込んだのは女性と見るのが妥当であろう。その人の現存する肖像画を見ると、なるほど下唇は厚ぼったく突き出している。そして彼女は「良き妻、良き母でもなく、外観からしてすでに近代的雰囲気のある男勝りの女性として描かれている」（H・アンディクス）。このいかにも興味をそそられる女性の名は、ヨハンナ・フォン・プフィルト。アルプレヒト二世公の公妃である。

アルプレヒト二世公とは神君ルドルフから数えて四代目の当主であり（男子均一相続制を採っていたハプスブルク家ではこの数え方には異説がある）、賢公の異名を取る名君である。また不具公とも呼ばれる。公の三人の兄の相次ぐ早世により思いもしなかったハプスブルク家当主の座が転がり込んできた一三三〇年のこと。公の食事に毒が盛られ、腕と膝が麻痺《まひ》し、以来、公は歩くこともままならぬことになったのである。

この時、公夫妻には結婚生活六年にしていまだ子がいなかった。そして公の身体の麻痺。ハプスブルク家断絶が取りざたされたのも無理はない。隣接諸侯はその時のためにせっせと牙《きば》を研《と》いだ。ところが奇跡が起きる。公妃ヨハンナは結婚十五年目にして長男を出産したのだ。しかし奇跡とは、信じられないから奇跡なのだ。三十九歳という高齢初産はよしとしても、その他はとても信じられない。父親はいったい誰なのだ、と人々は噂《うわさ》した。アルプレヒト二世公はこの噂を打ち消さんがために、教会の説教師の口を通して自分が父であることをわざわざ宣言する。その後、奇跡は繰り返され、公妃はさらに三男、二女を産む。最後の出産は実に五十一歳である。ここにきて噂はようやくおさまる。だが真偽の決着がついたというわけではない。

噂通りの方が話としては断然、面白い。公妃ヨハンナの産んだ長男、これが並みのタマではないからだ。後のルドルフ四世公。肖像画を見る限り、母に似て厚ぼったい下唇を備えている。すると公こそがハプスブルク家最初の下唇か。性格も母に似たのか、万事に慎重で粘り強い先代とは正反対。なにごとにつけても電光石火に処理しなければ気がすまないたちである。おまけに途方もない夢想家にして冷たい打算家。後世の人は公を建設公と呼ぶ。シュテファン寺院、ウィーン大学、いずれも公の建設によるからだ。

しかし公最大の建設はなんといっても、神に選び抜かれた家というハプスブルク家神話である。しかもその工法が例によって荒っぽいことこの上ない。「泣かぬなら殺してしまえ」というやり方である。自家はローマの名門コロンナ家、最終的にはユリウス・カエサルに発すると言わんばかりに、公文書をデッチ上げ、その偽文書を時の神聖ローマ皇帝カール四世に突きつけて、恬《てん》として恥じない。当代最高の人文主義者ペトラルカにウィーンの「大うつけもの」と冷笑されたのもむべなるかなである。

こんな忙しい公は人生もまた忙しく終えた。治世七年にしてわずか二十六歳で没。ゲーテをもじって言えば、夜空をさっと流れ行く彗星のようにハプスブルク家の地平線にほんのつかの間、姿を現し、忽然《こつぜん》と消えてしまったのである。夭折、大うつけ、ハプスブルク家最初の下唇、これに出生の秘密が加われば鬼に金棒、話は俄然《がぜん》、面白くなるというわけである。そして古来、英雄には出生の謎《なぞ》がつきものだ。『風雲児ルドルフ四世！　―ハプスブルク家のもう一人の創始者―』こんなタイトルの伝記小説を書いてみたくなるくらいである。

しかしやはり無理なようである。つまり、神君ルドルフとレオポルト一世帝の間にはなんら断絶がないのだ。革新と断行を避け、独創的にまで非独創に徹し、曖昧《あいまい》にぼやかし、ひたすら相手が「泣くまで待つ」。神君ルドルフ以来のハプスブルク家のお家芸である。ルドルフ四世以前の、そして以降の歴代当主は皆このお家芸を駆使し得る性格に生まれつき、もって自家を隆盛に導いたのである。ルドルフ四世だけが特別なのだ。どうやら彼は突然変異だったらしい。この風雲児はハプスブルク家最初の下唇ではあっても、「ハプスブルク家のもう一人の創始者」というわけではなさそうである。

ところが最近、ルドルフ四世のハプスブルク家最初の下唇というのもなんだか怪しくなってきた。ウィーンのクォリティー・ペーパー『プレッセ』一九八五年四月十三日／十四日付の記事によると、ルドルフ四世公の両親アルプレヒト二世公夫妻の墓が掘り返されたのである。つまり、こういうことだ。

公夫妻の亡骸《なきがら》は最初、ガミングにあるカルトゥジオ会修道院に埋葬されたが、後に同修道院がヨーゼフ二世によって閉鎖されると、近くの教区教会に移された。そして一九八五年四月、同修道院が再建されると公夫妻は最初の安息の地に改めて眠ることになったのである。「歴史家、人類学者、医者の立ち会いのもと、朝まだき、教区教会の墓標板が開けられた。『不具公』と呼ばれたアルプレヒトの病状についていままで多くの憶測がなされてきたが、ここにきてついに明らかになったのである。なるほど麻痺症状には罹《かか》ってはいなかったが、関節の変形から見て公は比較的若い時からすでに多発性関節炎に罹っていたようである……。ヨハンナ・フォン・プフィルトは彼女こそがハプスブルク家の特徴である下唇を同家に持ち込んだ女性といわれているが、これについては確証できなかった。というのも、彼女の下顎の骨はこの種の奇形をいっさい示していなかったからである」。彼の地の実証好きを実証する記事である。とまれ、墓を暴かれては仕方がない。これでハプスブルク家の下唇を誰が持ち込んだかは謎であることが実証された。謎を作るための実証。皮肉な話である。

しかし、それにしても墓の掘り返しとは。考えてみればこれそ、神聖なもの、謎とされたものをうるさく詮索し、いったんは日常性のうちに解体しておいて、それから初めてその神聖なるもの、謎なるものを安んじて受け入れるための手段なのだろうか。そういえば聖書にも、イエス・キリストの墓を暴き、キリストの亡骸《なきがら》が消えていることを確認したうえで、ようやくキリストの復活という謎を受け入れる、というくだりがある。こうして、ハプスブルク家の下唇も謎として受け入れられるのだろう。

フリードリヒ三世

生き延びた昼行灯

「恐らくははるか昔からなのだろう。巨大な丸太が水に浮かんでいる。そいつは生きているのか？　それとも数千年前から化石となっているのか？　じーっと見ていてもちっとも動きはしない。でも不意に、その岩みたいな奴に目があることが分かった。ぎらりと光るぞっとする目つきでこちらを窺《うかが》っている。なにか悪意の塊《かたまり》のようで、とても親しむ気にはなれない」

二十世紀初頭、新ロマン主義を標榜《ひょうぼう》したリカルダ・フーフの文である。彼女は壮大な歴史ロマンを次々に発表した。例えば『ガリヴァルディー物語』。主観に流されることなく、丹念に歴史的事実を迫った。それゆえ、イタリア統一運動の英雄の弱点も欠点も露《あら》わにされた。しかしガリヴァルディーに深い共感を抱いていたことは確かだ。そもそも、彼女は人間が好きだったのだ。それでこそ、その筆は冴《さ》えに冴えたのである。

ところがそんな彼女にも「なにか悪意の塊のようで、とても親しむ気にはなれない」人物がいた。彼女によって「巨大な丸太」、すなわち「途轍《とてつ》もなくでかい亀」に譬《たと》えられたフリードリヒ三世（一四一五～一四九三年）である。「同時代のそして後世の人々も君主として、そしてまた人間としても彼には一切、親しみを感じられなかった。『神聖ローマ帝国の大愚図』という蔑称も、彼が生前に受けた罵倒から比べればまだましで、害がないくらいである」（アルフォンス・ローツキー）。全く評判が悪い。ハプスブルク家歴代の君主の中でこれほど不評を買った人物はいない。それがかえってこの人物、フリードリヒ三世の魅力(?)となっている。

しかし間違ってはいけない。ここには逆説はいっさいない。昼行灯《あんどん》、フリードリヒ三世は実は将来を見据えた名君であった、と悪玉変じて善玉になるといった異説は唱えないほうがよい。およそ五百年にわたって語り継がれてきたフリードリヒにまつわる数多《あまた》の逸話には絶対の真理が宿っている。やはり愚図でのろまなのだ。おまけに陰険なのだから始末に負えない。それゆえ凶暴なエネルギーが充満する悪の魅力、ピカレスク・ロマンなども期待してはいけない。ここは一人冴《さ》えない君主が歩んだ風景を眺めるだけでよい。そしてその風景と意固地なまでに溶け込もうとはしなかった人物の生きざまを見ればよい。それはそれで十分に面白いのだ。

フリードリヒは一四一五年九月二十一日、インスブルックで生まれた。父はエルンスト鉄公。彼はイタリアの血が入っているせいか陽気で雄弁家である。がっしりした体軀《たいく》で色が黒い。母はシムブルギス・フォン・マゾーヴィエン。リトアニアの家系でポーランド王の姪《めい》でもある。夫に負けぬ堂々たる体軀の持ち主。素手で釘《くぎ》を打ち込み、蹄鉄をいともたやすく折り曲げたという逸話はあまりにも有名である。唇が厚ぼったく前に突き出ていて、「ハプスブルク家の下唇」と言われる異貌を同家に持ち込んだ第一容疑者とされている。そしてなによりも粘液質という気質を息子に与えたのが特記される。

インスブルックで生まれたとあるが、ここチロルは父、鉄公の領地ではない。鉄公のそれは内オーストリアと呼ばれた、シュタイアーマルク、ケルンテン、そしてクラインである。それではチロルの領主は誰か？　鉄公の弟「文無し」フリードリヒである。

「文無し」フリードリヒは一四一五年のコンスタンツ公会議で対立法王ヨハネス二十三世を支持し、時の神聖ローマ帝国皇帝（ドイツ王）ジギスムントと対立、法王がコンスタンツから逃亡する際、それを幇助《ほうじょ》したとして皇帝より帝国外追放令を受けていた。そこで兄の鉄公がハプスブルク家の領地を保全すべきチロルに乗り込んできたのである。しかしこれはあくまでも一時的な処置である。鉄公も自分が弟の領地簒奪《さんだつ》者と見られることを警戒し、インスブルックで生まれた嫡男にわざわざ弟と同じ名前をつけている。これは同時に鉄公がルクセンブルク家出身の皇帝ジギスムントに弟同様に反旗を翻す意思表示でもあった。ところが、このジギスムントの娘婿が上・下オーストリアを領有するアルプレヒト五世（ドイツ王としてはアルプレヒト二世）で、エルンスト鉄公、「文無し」フリードリヒ兄弟の従兄弟《いとこ》にあたるのだから話はややこしい。ともあれ、こうして本編の主人公はフリードリヒと命名されたのである。

当時のハプスブルク家の領地は上・下オーストリア、内オーストリア、チロル、フォアラントである。ところが前述の通り領主は三人いる。アルプレヒト五世の祖父とエルンスト鉄公、「文無し」フリードリヒ兄弟の父とが兄弟で、この時共同統治の煩を嫌って領地が分割された。そして鉄公、「文無し」兄弟もさらに領地を分割し、同家は三系統分裂時代に入った。長子単一相続制ではなく、男子均一相続制を採る当時にあっては別に珍しいことではない。むしろ珍しいのは、系統分裂にあっても、ハプスブルク家という一門意識が強烈であり、多少の「兄弟喧嘩」はあっても骨肉相食《あいは》む、という事態にはいたらなかったことである。ある系統の君主が幼君を残して世を去ると、他系統の年長者が後見人となり、領地の乱れを抑える、そんな政策が採られた。事実、父エルンスト鉄公が亡くなった時、本編の主人公フリードリヒはわずか九歳であり、彼は叔父の「文無し」フリードリヒの被後見人となる。

時が経《た》ち、その叔父が当時十二歳のジークムント（後に「貨幣持ち」ジークムントとあだ名される）を残して死ぬと、こんどはフリードリヒが叔父の忘れ形見の後見人となる。この時フリードリヒは二十四歳である。また妃はいない。いないどころか、女は邪魔だと言わんばかりに修行僧さながら粗衣粗食を通す一風変わった君主であった。そして彼の身辺が急に慌ただしさを増すのもこの頃からであった。

すなわち従兄弟のアルプレヒトの急死である。アルプレヒトは前述のようにルクセンブルク家出の神聖ローマ帝国皇帝（ドイツ王）ジギスムントの娘婿であった。領地ボヘミアでのフス戦争でさしものルクセンブルク家も疲弊し、皇帝も嗣子なく死ぬと、娘婿アルプレヒトがドイツ王（皇帝即位前に死去する）となる。同時にボヘミア王、ハンガリー王も兼ねる。久々のハプスブルク家出のドイツ王である。そのアルプレヒトがアーヘンでの戴冠式もすませぬうちに、対オスマン・トルコ戦に出陣中、ハンガリーで赤痢《せきり》に罹《かか》りあっけなく死んだのだ。「文無し」フリードリヒが死んでからわずか四カ月後のことである。そしてそのさらに四カ月後、アルプレヒトの嫡男ラディスラスが生まれる。父の死後に生まれたので、「遺腹」ラディスラスと呼ばれる。そこで本章の主人公フリードリヒが後見人となる。

　こうしてフリードリヒはあれよあれよというまにハプスブルク家一門の長となる。おまけに神聖ローマ帝国皇帝の座まで転がり込んでくる。

　さて、皇帝になった。しかし慌ただしくなったのは、文字通り彼の身辺だけで彼自身には何の変化もなかった。「世の事柄を落ちつきはらって眺めること、なにごとにも平然とことにあたること」。これがフリードリヒの信条であった。こう書くといかにも聞こえがよい。だが彼の場合はものに動じないのではなく、あらゆるものに無感動なのである。こんな例がある。一四五三年五月二十九日午前八時半、ビザンチン帝国の首都コンスタンチノープルがオスマン・トルコにより陥落した。

　その一カ月後、一隻の快速船がヴェネチアに入港し、この恐ろしい知らせをもたらした。「ヴェネチア政府はただちにこの『特別ニュース』をローマの法王、ナポリ王、ジェノヴァ、フィレンツェ、フランス王、ドイツの神聖ローマ帝国皇帝、ハンガリア王等に知らせるため、各国に急使を派遣した」（塩野七生）。そしてこの大事件の知らせに「西ヨーロッパ世界は驚きのあまりほとんど麻痺《まひ》せんばかりであった。キリスト教世界の没落という古くからの幻影が再び頭をもたげてきた」（ゲルハルト・ヘルム）。ところが独り神聖ローマ帝国皇帝だけは、すなわちフリードリヒだけは、ある年代記

フリードリヒ三世

作者によるとこの「特別ニュース」にも我関せずと、「すっかりくつろいだご様子で、庭いじりをされたり、小鳥を捕らえたりされ、まことに嘆かわしい限り」といった調子であった。

しかしそんなフリードリヒも、ハプスブルク家一門の意識だけは強烈にあった。従兄弟のアルプレヒトがドイツ王に推挙された頃から、フリードリヒは身の回りの小物から、自分の壮麗な居城にいたるまでありとあらゆる所にA・E・I・O・Uという文字を描き、刻印し、彫り込ませたりするようになった。この判じ物は「すべてはオーストリアのもの」という一文の頭文字といわれているが、フリードリヒはその固い甲羅の中でこんな児戯に等しい呪文を唱えていたのである。

しかしその呪文はなかなか霊験あらたかにしない。むしろ尻すぼみとなっていく。なぜなのか？　端的に言ってフリードリヒがなにも手を打たないからである。神は自ら助くるものしか助けない。

まず、従兄弟のアルプレヒトによっていったんはハプスブルク家のものとなったハンガリー王国とボヘミア王国。アルプレヒトの急死後、陣痛の床にあった妃エリザベトの密命により、侍女ヘレーネは厳重な警戒をくぐり抜けハンガリーの王宮に保管してあった「聖イシュトヴァーンの王冠」をまんまと盗み出した。そしてエリザベトはその王冠をやがて生まれた「遺腹」ラディスラスの頭上に載せ、我が息子は正式なハンガリー国王であると主張した。しかし、そんなものはハンガリーの貴族は認めない。ヤゲロ家出身の対立国王を立てる。その国王が対オスマン・トルコ戦で戦死して初めて、「遺腹」ラディスラスはハンガリー王と認知される。

ところが、彼の後見人であるフリードリヒはラディスラスの後見を解こうとはせず、彼を手元から放さない。それではとハンガリー貴族はヨハン・フニャディを摂政に据える。オスマン・トルコからヤンコと呼ばれ恐れられた猛将フニャディは事実上の国王となり、ハプスブルク家はハンガリーを失ったも同然となった。それどころか、フニャディの息子マチアス・コルヴィヌスは正式に国王となり、フリードリヒと争い、あろうことか帝都ウィーンを占領し、死ぬまで居すわった、というのだからフリードリヒも情けないことこの上ない。

一方、ボヘミア。ハンガリーと同じ経路をたどる。すなわち、フリードリヒはラディスラスを手放さない。こちらから摂政も送らない。そこでボヘミヤ貴族はゲオルク・フォン・ポディエブラドを摂政に選出。摂政は後に国王となる。このポディエブラドの場合はさらに後にフリードリヒの危機を二度も救うことになるので、フリードリヒの無為無策もそれなりに功を奏したことになるかもしれない。もちろんそうは言ってもハプスブルク家がボヘミアを失ったことには変わりはない。あのA・E・I・O・Uの呪文はどうしたのか。巷《ちまた》で「すべてをオーストリアは失った」と揶揄《やゆ》されても無理はなかった。

それでは肝心のオーストリア領内はどうなったのか。上・下オーストリアの貴族たちは君主の後見人フリードリヒに反旗を翻した。幼君、「遺腹」ラディスラスの奪回に立ち上がったのだ。上・下オーストリアからあがる収入がすべて内オーストリアに流れ、ヴィーナー・ノイシュタットにあるフリードリヒの居城の建造費、宮廷維持費に乱費されていることに彼らは我慢ならなかったのである。

フリードリヒに選択が迫られた。貴族相手の戦いか、それとも譲歩か？　絶対の平和主義者、否、腰抜けフリードリヒのことだ。譲歩するのは目に見えていた。ところが、「王が二つの選択肢の中から第三の道を選ぼうなどとは誰も予測できなかった。これはまさしく彼しかなし得ない全く独特のやり方であった」（アルフォンス・ローツキー）。王はあろうことか逃亡したのである。もちろん、名目はある。しかも飛びきり立派な名目である。正式に神聖ローマ帝国皇帝になるためローマ法王より戴冠を受けるべくローマに赴く、というのである。そしてこのローマ行きにラディスラスを人質同然に同行させたのである。一四五二年二月のことである。ともあれ、これで決着は先延ばしにされた。フリードリヒ得意の戦術である。

このローマ行きにはもう一つの目的があった。皇帝になったからにはいつまでも独身というわけにはいかない。フリードリヒはこの時すでに三十六歳になっている。皇妃を迎えなければならない。相手は決まった。ポルトガル王女で、エンリケ航海王子の姪《めい》にあたるエレオノーレである。美しい魅力的なプリンセスである。そしてなによりもヨーロッパ一の豊かな王家の姫君である。彼のほかにも求婚者が群がった。フランス王太子、後のルイ十一世もその一人である。だが、夢見るプリンセスにとってフランスは「あまりにも近すぎて、知りすぎていた」(グレースィング)。結局、彼女は遠いオーストリアのフリードリヒを選んだ。王妃より皇妃になりたかったのかもしれない。それが大変な誤りであったことが分かるのはずっと後のことである。

しかしその兆候はすでにあった。こういうことだ。フリードリヒは求婚の使者として二人の聖職者をポルトガルに送った。二人は艱難辛苦《かんなんしんく》の末、長い旅程を経て目的地に着いた。なぜ艱難辛苦なのか。いやしくも皇帝陛下の御使者である。ところがその陛下が二人に与えた路銀は雀の涙で、いくらも行かぬうちにたちまち底をついた。後は、辻々の追剝《おいはぎ》たちも三舎を避ける、といったほどのボロボロの不潔きわまる身なりで彷徨《さまよ》うのみであった。それゆえ、二人は目的地についたとたん、当地の官憲により怪しい奴と捕らえられ、牢にぶち込まれてしまったのだ。必死の弁明で誤解が解け、二人は無事、ポルトガル王に拝謁がかない、使者としての役目を果たすことができた。もちろん、リスボン宮廷には失笑と疑念が渦巻いた。万事に派手なラテンの血である。

こんな時は金に糸目をつけず鳴り物入りで御使者登場というのが通り相場だ、ゲルマンの流儀はとんとわからぬ、と人々は首をかしげたのだ。しかし、これはゲルマンのではなくフリードリヒの流儀なのである。大体、彼は自分のローマ行の路銀すら、自分で出していない。フリードリヒの秘書で後に法王ピウス二世となる、アエナス・シルヴィウスの仲介で法王ニコラウス五世が路銀を用立てている。自分の逃亡費用を人に出させる。他人の褌《ふんどし》で相撲を取る。フリードリヒの面目躍如といったところである。

ともあれ、こうしてフリードリヒとエレオノーレはイエナで落ち合い、戴冠式と結婚式を同時に済ますことができた。しかし、式に実体が伴わないのはフリードリヒのフリードリヒたるゆえんである。皇帝という地位は相変わらず不安定である。これは仕方がない。皇帝のせいとばかりはいえない。問題は結婚の方である。フリードリヒは決して床入りの儀を行おうとはしないのである。

新妻エレオノーレの叔父でナポリ王アルフォンスがこのことを聞きつけ、フリードリリヒに強談判《こわだんぱん》し、一応、床入りの儀だけは行ったが、新婚旅行でもあるイタリア巡行中、新郎は新婦の体に指一本触れようとはしなかった。彼はここイタリアで子種が宿ることを極端に恐れたのである。自分の祖母がミラノはヴィスコンティ家の出であるにもかかわらず、フリードリヒはイタリアを嫌った。こんな淫蕩《いんとう》と愉楽の地で胚胎した子は悪魔の子となる。これが彼の唯一信ずる占星術のお告げであったのだ。

この風変わりな新婚夫婦はオーストリアに戻った。先延ばしにされていた上・下オーストリア貴族との対決が蒸し返された。ハンガリーのフニャディ、ボヘミアのポディエブラトも敵陣営についた。ヴィーナー・ノイシュタットの居城を敵の軍勢に囲まれフリードリヒは結局譲歩し、「遺腹」ラディスラスを手放した。ようやくラディスラスは上・下オーストリア、ハンガリー、ボヘミアで親政をしくことができるようになったのである。ところが、親政を行うべく赴いたボヘミアはプラハで、ラディスラスはにわかに発熱、一四五七年十一月二十三日、わずか十七歳でこの世を去った。常に政争の道具にされ続けた薄幸の人生であった。もちろん、子供はいなかった。表向き死因はペストとなっているが、摂政ポディエブラトによる毒殺であるとの噂が流れた。こうしてハンガリー、ボヘミアは正式にハプスブルク家の支配を脱した。そして上・下オーストリアはフリードリヒのものとなったのである。

フリードリヒがもう一つ後見をしていたチロル領については金でかたがついた。つまり、彼は自分が持っているチロルでの権益を維持する代わりにジークムントの後見を解いたのである。

これで少しは落ち着いた。そして、陰と陽、水と油ほど気質の違う皇帝夫妻にも子供が生まれる。しかし、第一子は生後一年にも満たぬうちに、死去。二人の間には五人の子供ができたが、そのうち三人は言葉も喋《しゃべ》れぬうちに亡くなっている。フリードリヒはこのことを妻エレオノーレのせいにして激しく責めたてた。幼子をポルトガル流儀で育てるからいけないのだ。子供に珍味を好きなだけ与えるなどもってのほかなのだ。第一、妃は女のくせにワインを常飲している、とんでもないことだ、等々と実にうるさく責めたてる。幼い子を次々と亡くした母の悲しみを思いやる気あらばこそである。フリードリヒは菜食主義者で、果物とジュースだけでそのむやみと大きな体軀を支えている。そしてアルコールを毛嫌いしていた。夕食にワインを水で割らずにそのまま飲む妻に「うわばみが余の脇に座るくらいなら、石女《うまずめ》の方がまだましである」と言い放つ。夫婦の溝が深まるはずである。

それでも残った二人の子供は無事に成長した。マクシミリアンとクニグンデである。いずれもハプスブルク家に初めて登場する名前である。フリードリヒが従来の慣習を排して、聖者の名前を採って命名したのである。およそフリードリヒが積極的になにか新しいことをしたのはこのことぐらいかもしれない。そのせいか、特に長男のマクシミリアンは健やかに育った。これが鳶《とび》が鷹を生む口で、父とは似ても似つかぬ、おおらかな性格で人々を魅了するのである。後にハプスブルク家中興の祖、「中世最後の騎士」と謳《うた》われたマクシミリアン一世である。

さて、一時の落ち着きもつかの間、フリードリヒの弟アルプレヒトがいつの間にか成人に達した。激しい気性である。また闊達《かったつ》でもある。貴族たちの間で人気を博す。そのアルプレヒトが兄フリードリヒに領地の分割を要求してきたのである。一四五八年六月、シュタイアー市を含むエンス川上部とウィーン市の半分がアルプレヒトに分け与えられた。しかしこれでは満足しない。その頃、帝国の中でフリードリヒの評判はとみに悪くなっていた。帝国諸侯の間ではドイツ王廃位の声すら出ていた。別に前例がないわけではない。つい数十年前、ルクセンブルク家のヴェンツェルがその憂き目にあっている。

さて、オーストリア領内になるとフリードリヒの評判はもっと悪くなる。特に彼が貨幣を改鋳し、もって増税をはからんとした政策はものの見事に失敗した。悪貨は良貨を駆逐し、ものすごいインフレが起き、巷《ちまた》では領主フリードリヒへの怨嗟《えんさ》の声でいっぱいになった。好機到来とアルプレヒトが動いた。三千の軍勢を率いエンス川を渡りウィーンへ進軍。一四六一年六月のことである。骨肉相食む「兄弟喧嘩」である。しかしこの時はウィーン市は皇帝に忠誠を誓い、さらにボヘミア王のポディエブラトも皇帝陣営につき、アルプレヒトの蜂起は失敗する。だが、こんなことではめげない。翌六二年八月、アルプレヒトに扇動されたウィーン市民が暴動を起こす。その先頭に立ったのが家畜商のヴォルフガング・ホルツァーで、彼は自らウィーン市長となった。アルプレヒトの意を受けたホルツァーは「皇帝には平和を維持する能力がないと公式に宣言し、ウィーン市は皇帝にたいする忠誠の誓いを解き、十月十六日から十七日にかけて皇帝の幽閉を始めた」（B・ファッハ）。皇帝一家、すなわちフリードリヒ、エレオノーレ、マクシミリアンが王宮に監禁されたのである。食料も満足に与えられなかった。マクシミリアンはその時いまだ三歳。強烈な体験となった。

さて、十一月二日、いよいよアルプレヒトがウィーンに乗り込んできた。フリードリヒは絶体絶命に陥った。しかしこの時もボヘミア王が大軍を率いてウィーン市前に陣を敷き、アルプレヒトを牽制し、取りあえずは皇帝一家の命だけは助けたのである。こうして十二月四日、フリードリヒは王宮を抜け出すことができた。もちろん、弟にたいし屈辱的譲歩をせざるを得なかった。エンス川下部の統治権もアルプレヒトのものとなったのである。

アルプレヒトがウィーン統治を始めるが、実はこれが苛斂誅求《かれんちゅうきゅう》を極めるとんだ悪政でウィーン市民はたちまちフリードリヒを懐かしがる。アルプレヒトの手先となって働いたホルツァーも新領主に反旗を翻すが、捕まり、四つ裂きの刑に処せられた。アルプレヒトは意気軒高であった。

ところがいつしか彼の脇の下には大きな凝《しこ》りができていた。彼はその道の権威、プッフ博士の診断を受けることを断固として拒否した。博士が兄フリードリヒの手先と思えたからである。結局、一四六三年十二月アルプレヒトは死んだ。毒殺の噂が流れたのもいつもの通りである。

ウィーンは再びフリードリヒのものとなったのである。しかし、なんという強運か。お得意の占星術あるいは錬金術で死に神を操《あやつ》るのかどうか知らないが、実にタイミングよく強敵が死んでいく。フリードリヒが手にする鬼籍簿《きせきぼ》を復習してみよう。

まずフリードリヒの最初の重石《おもし》であった叔父「文無し」フリードリヒが死ぬ。次に従兄弟アルプレヒトが死に、皇帝の座が転がり込んでくる。ハンガリーを奪ったフニャディが死ぬ。何度も反抗して、散々手を焼かされたチリ伯爵ウルリッヒ二世が死に、その伯領が自分のものとなる。さらに「遺腹」ラディスラスが死に、上・下オーストリアが手に入る。そして弟アルプレヒトが死に領地は再び統合される。さらには息子マクシミリアンの岳父であるブルゴーニュのシャルル大胆公、ボヘミア王ポディエブラト等々。なるほど、チロルのジークムントは三年ほどフリードリヒより生き延びたが、若い時からの放蕩な生活が災いしてすでに生ける屍《しかばね》となり、チロルの統治権をフリードリヒの息子マクシミリアンに譲り渡していた。

こうみると、まさに死屍累々《ししるいるい》たるものがある。目ぼしいところで、フリードリヒより生き延びたのは、政略結婚の大事な手駒である娘クニグンデを偽の手紙で騙《だま》して結婚し、チロルを狙ったバイエルンの狡猾《こうかつ》侯アルプレヒト四世ぐらいである。

しかしなんといっても大きかったのは、マチアス・コルヴィヌスの死である。しかも嗣子なくして死んだのである。「もしマチアス・コルヴィヌスに正当な相続人がいたとすれば恐らくウィーンはハプスブルク家のではなくフニャディ家のハンガリー＝オーストリア・ドナウ王国の首都になっていただろう」（B・ファッハ）。事実、摂政フニャディの息子でハンガリー王となったマチアスこそフリードリヒの最大の敵となったのである。

一四五三年五月二十九日午前八時半、ビザンチン帝国の首都コンスタンチノープルを占領して以来、オスマン・トルコのマホメット二世はキリスト教世界への攻撃の手を緩めることはしなかった。一四六九年、初めてケルンテン、クライン、シュタイアーマルクを襲った。このイスラム勢力にたいし、直接キリスト教世界を守る役目を負わされたのがフリードリヒとハンガリー王マチアスであった。オスマン・トルコに怯《おび》えるあまりフリードリヒは一人娘クニグンデをマホメッド二世にさし出すことを真剣に考えたという。スルタンが改宗するという条件付きではあったが、これが本当であったら、とんでもないことを考え出したものである。第一、スルタンが改宗するわけがない。貧すれば鈍する、とはよく言ったものである。

一方、マチアス。英邁《えいまい》な君主で時代精神に富み、いち早くイタリア・ルネッサンスのエッセンスを採り入れハンガリーを強国に押し上げた。彼が考えたのは、オーストリア、ハンガリー、ボヘミアを一円支配し、もってオスマン・トルコにあたることであった。であるならば、オーストリアを併合するのが先決である。

かくして一四七七年以来、マチアスはフリードリヒに戦いを仕掛けてきた。一四八四年三月、ウィーン市を包囲、ヴィーナー・ノイシュタットにいた皇帝フリードリヒは、ウィーン市民の懇願にもかかわらず援軍を送ってよこさない。翌八五年一月一日、ウィーン市は降伏し、マチアスはウィーンに入城する。一四八七年八月、今度はヴィーナー・ノイシュタットが包囲された。フリードリヒには逃亡するよりほかなかった。そしてその際、「自分の敵に、城の庭に飼っている動物や、丹精こめて育てた木々をなにとぞ無碍《むげ》になさらぬよう」（B・ファッハ）と懇願したのである。全くあきれたものである。

ところがである。そのマチアスがウィーン王宮の「ラディスラスの間」で息を引き取った。一四九〇年四月のことである。ウィーンは三たびフリードリヒに戻ってきた。またしてもフリードリヒは生き延びた。しかも最大の敵より生き延びたのだ。

神は自ら助くるものしか助けないが、死に神のほうは終始、フリードリヒを助けたのである。彼が忍耐強く生きたからである。他に彼には武器がなかった。しかし、この忍耐強さはなにに支えられたのか。強烈なハプスブルク家意識である。

そういえば皇帝として彼がなしたのはたった一つのことだけである。すなわち、彼の二世代前の風雲児ルドルフ四世の抑え難いハプスブルク家選良意識の表れであり、後のハプスブルク家神話のよすがとなった、あの偽「大特許状」を帝国法として合法化したことである。そしてフリードリヒはマクシミリアン一世という、これ以上望みようのない息子を遺《のこ》した。曾孫カール五世はハプスブルク世界帝国を樹立した。A・E・I・O・U、「すべてはオーストリアのもの」という呪文はついに霊験あらたかになったのである。

もう一度言う、それもこれも、フリードリヒという一人のなんとも冴《さ》えない君主がとにかく誰よりも生き延びたからである。リルケがこんなことを言っている。「勝ちについて口にしてもしょうがない。生き延びることがすべてなのだ！」。つまりフリードリヒは勝ちはしないが決して負けなかったのである。彼は一四九三年八月十九日、七十八年の生涯を終えた。

マクシミリアン二世

宗教紛争に引き裂かれた快活なプリンス

　帝都ウィーンは死を壮麗に演出する。それはいかにもバロックの街にふさわしい。この街では葬儀のことを「美しい亡骸」と呼ぶ。バロックに、つまりはカトリックにかなっている。だからこそ、最も美しく、最も崇高な亡骸の葬送、すなわち「聖体行列」に、皇帝自らおでましになるのだ。そう、神聖ローマ帝国皇帝であるハプスブルク家の君主とはカトリック世界の守り主であり、救い主であるのだ。

　ところが、この「聖体行列」に参加することを潔《いさぎよ》しとしなかった皇帝がいる。マクシミリアン二世である。父はフェルディナント一世、伯父はハプスブルク世界帝国を築いたカール五世。そして息子にハプスブルク家極め付きの変人ルドルフ二世とマチアスがある。グリルパルツァーの戯曲『兄弟喧嘩』の当事者である。この二つの華々しい世代にはさまれたマクシミリアンはその分、少し影が薄い。しかし彼のなめた苦悩はそんなことにあるのではない。カトリックとプロテスタントに挟《はさ》まれたことが彼に途轍《とてつ》もない苦渋を強いたのだ。

もちろん、父の世代も苦渋を強いられた。ドイツの統一と皇帝権力確立という彼らの使命に宗教分裂が大きく立ちはだかったからである。彼らはガチガチのカトリックではなかった。宗教的心情よりも政治に重きを置いた。駆け引きもし、妥協もした。それゆえ、カール五世、フェルディナント一世の宗教的立場を「妥協カトリシズム」という。彼らがカトリックなのはハプスブルク家に生まれたからそうであったにすぎない。彼らの苦渋とはあくまでも政治的なそれであったのだ。

しかし、マクシミリアンは違った。ハプスブルク家の一員ともあろうものが、心情的にプロテスタントに傾いたのである。ハプスブルク家とプロテスタント。これ以上の絶対矛盾があろうか。それゆえ、その矛盾を体現するマクシミリアンにカトリックとプロテスタントの戦いの血しぶきが容赦なく降り注いだのである

マクシミリアンは英邁《えいまい》であったという。語学の天才とも言われた。彼の死後、遺体を調べてみると頭蓋が「驚くほど乾いていて、温かであった」という。それが「彼の語学能力、豊かな教養、追随を許さぬ怜悧《れいり》に繫がるという説」（グレースィング）がなされたほどであった。自然科学、特に植物学、生物学に造詣《ぞうけい》が深く、チューリップ、

アラセイトウがウィーンで初めて花を咲かせたのも彼のおかげであった。そしてなによりも書物が好きだった。現在のオーストリア国立図書館はマクシミリアンの書籍収集がその源といわれているぐらいである。快活でもあった。伯父のカール五世のもとスペインで暮らしていた折は、酒と女に放埒《ほうらつ》を繰り返しもした。その放埒もおさまり、マクシミリアンは従姉妹のマリアと結婚する。オーストリア、スペイン両ハプスブルク家の絆《きずな》をより一層強めるためだ。伯父のもとでの修業生活も終え、マクシミリアンは新妻マリアを連れて、故郷オーストリアに帰ることになった。

ウィーンでは若殿の晴れ姿を一目見んと、皆、この帰郷を心待ちにしていた。歓迎のアーチを設《しつら》え、街全体が着飾った。これに応《こた》えて若殿はウィーンっ子に恐るべきプレゼントを用意していた。市門を通る行列の先頭に、この世で初めてみるムーア人がいた。そしてその彼に綱を引かれて、異様に鼻が長く、山のように大きい動物が白い牙を天に向けて、のっしのっしと歩いている。ウィーンっ子は度肝《どぎも》を抜かれた。驚きのあまり失神するものが後を絶たなかった。パニックに陥った市民に向かってマクシミリアンは言った。「恐れるではない。この動物はアフリカ生まれのゾウという名で、やさしい気性で決して人を傷つけたりはしない。余はこのゾウをポルトガル王より贈られたが、広く市民の供覧に処するつもりである」と。するとたちまちウィーンの街に「若殿、万歳！」の声がこだました。

こんな快活なプリンスに憂愁の翳《かげ》りがさしてきたのはいつの頃からであろう。まず毒殺未遂事件。二度あったという。一度目はカトリック側の反宗教改革の出発点であるトリエント公会議に出席した一五五一年。二度目は翌年、チロルのイン川沿いのヴァッサーブルクに立ち寄った際。この二度にわたるハプスブルク家御曹司毒殺未遂事件の下手人は枢機卿《すうきけい》マドゥルッツォと目されている。ひょっとしたら神聖ローマ帝国皇帝にもなろうとするマクシミリアンが、こともあろうにプロテスタントに淫《いん》しているることへの枢機卿なりの義憤であったのかもしれない。もっと生臭い説がある。

マクシミリアンの伯父帝、カール五世は、スペイン、オーストリア両ハプスブルク家が交代で皇帝の座を占めるという案を提唱していた。カールの次はすでにオーストリア家のフェルディナントと決まっている。であるならば、次はスペイン家、つまりカールの嫡男フェリペにというわけである。しかしこの案をドイツ諸侯は認めない。神聖ローマ帝国とはあくまでもドイツ人の帝国なのだ。それでは次の次はプロテスタントかぶれのマクシミリアンにいくのか。教会領主でもある枢機卿はガチガチのカトリックであるフェリペ二世の意を迎えんとその凶行に走ったというのである。

ともあれ、二度の凶行にもかかわらずマクシミリアンは助かった。しかし、ここで

マクシミリアン二世とその家族

注目すべきことは、ハプスブルク家の御曹司がプロテスタントに傾いていることが公然の秘密になっていたということである。父フェルディナントは息子を激しく叱責し、我がオーストリア家のためにと、カトリックへの改宗をことあるごとに迫り続けた。だが息子は肯《がえん》じようとはしない。父と息子の対立は果てしなく続いた。

さて、やがて伯父カール帝が退位し、父フェルディナントが帝位に即く。するとローマ王選出が問題となる。ローマ王とは今のイギリスのプリンス・オブ・ウェールズと同じように帝位継承予定者のことである。マクシミリアンが第一候補者である。しかし、ローマ教皇が難色を示した。退位したとはいえ隠然たる勢力をもつ伯父カール、そして従兄弟のフェリペ二世もことの成り行きを座視する気はなかった。カトリック諸侯、プロテスタント諸侯もそれぞれの思惑を秘めて固唾《かたず》をのんでいた。その時、最初に動いたのは他ならぬマクシミリアン自身であった。

彼はかねて親交のあったザクセン選帝侯を始めとするプロテスタント諸侯に使者を送った。「プロテスタントのローマ王」に賭けてみないか、と。しかしこの仕掛けはものの見事に失敗した。諸侯が話に乗ってこなかったのである。

一五五五年の「アウクスブルクの宗教和議」でプロテスタント諸侯は「領土の属する人に宗教も属す」という原則を獲ち取った。無理な深追いは避けた方がよい。あからさまな「プロテスタントのローマ王」擁立は、そのローマ王の父フェルディナント一世との、つまりはカトリック世界との全面対決になる。ここは自重するに如《し》かず、である。その後マクシミリアンは、しきりに五五年体制からの脱却を唱えたが、「領土の属する人に宗教も属す」の「宗教」とは、あくまでもカトリックとルター派だけを指すものである。またそうでなければならない。ところが、マクシミリアンの主張は結果的に憎むべきカルヴァン派、ツヴィングリ派、再洗礼派をも認めることになる。断じて承知できない。これがザクセン選帝侯を中心とするプロテスタント諸侯の意向であった。

もともと、宗教改革は原理主義である。聖書の一字一句の解釈にすべてを賭けている。当然、解釈に違いが出る。そうなるとリゴリズムの権化同士の戦いとなる。妥協はいっさい許さない。近親憎悪が争いに拍車をかける。一五六〇年、プファルツ選帝侯がカルヴァン派の信仰を表明した時、ルター派のザクセン選帝侯は敵意を剝《む》き出しにしてこれを攻撃した。そして両派とも敵の敵は味方！　の論理でカトリックと手を結ぼうとしたのである。マクシミリアンのもくろみは脆《もろ》くも崩れた。

こうしたプロテスタント諸侯の態度は二度の毒殺未遂事件よりもはるかに深い精神的外傷をマクシミリアンに刻みつけた。快活な青年は一転して憂愁の人となった。それでも彼は自分の使命を放棄しなかった。皇帝となり、ドイツの統一と宗教的平和を確立することである。ただそのためにこそ、彼は一五六二年、父帝フェルディナント一世の前で、公式に誓った。生涯、カトリックにとどまる、と。改宗である。ただちに同年、ローマ王に選出された。戴冠式の際、聖体拝領の儀式に参加しなかったことだけがせめてもの抵抗であった。

父帝フェルディナントは息子の改宗を見届けると、オーストリア家の領地をマクシミリアンを始めとする三人の息子に分割した。領地の中央集権支配の確立にあれほど心を砕いた彼がなぜ、それに逆行する領地分割をしたのか。ある史家によると、まず第一に、マクシミリアンの改宗を信じられなかったからである。自分の死後、いつなんどきプロテスタントに還るかもしれない。万一、そうなっても、他のハプスブルク家の領地だけはカトリックであり続けることができる。いわば保険である。そして第二に、自分と同名の次男への偏愛である。なんとか次男フェルディナントに領主の地位を確保してやりたい、という親心である。こうして領地は分割された。

しかし、そんなことはマクシミリアンにとって、極端にいえばどうでもよいことであった。彼は自領の大小にはもはや関心をもたなくなった。彼の関心は、挙げてドイツの統一と宗教的平和に向けられたのである。領地、領国を超えた、宗派を超えた真のコスモポリタンとして生きることに決めたのだ。一五六四年、父の死をうけて皇帝となる。

新皇帝は戴冠式の場所をカール大帝の古都アーヘンより商都フランクフルトに移した。この歴史的改変の裏には経済的理由も見え隠れするが、やはり、中世との真の訣《けつ》別《べつ》を図る新皇帝の意思の表れであったのだろう。血で血を争う宗教戦争もマクシミリアンにしてみれば「貴殿が拙者の農民を打擲《ちょうちゃく》するならば、拙者が貴殿の農民を打擲してくれよう」という私闘（フェーデ）の一変形でしかなかったのである。こんな中世の論理は捨てなければならない。「皇帝マクシミリアン二世は、同時代人の中にあって、信仰上の戦いが、帝国全土に及ばざるを得ぬ、重大な結果を予見した数少ない一人であった」（ライフェンシャイト）のである。

たしかに信仰の争いにうつつを抜かしている場合ではなかった。オスマン・トルコのスレイマン大帝の大軍がいまにもヨーロッパを飲み込もうとしている。キリスト教世界を守らなければならない。帝国政府にはもちろん、金などありはしない。ハプスブルク家も慢性的金欠病に喘《あえ》いでいる。軍費調達は帝国諸侯に頼むしかない。ここを先途《せんど》とプロテスタント諸侯は次々に要求を出してくる。マクシミリアンはことごとく譲歩した。おかげで「トルコはルター派の幸運」という言葉まで生まれたほどである。

しかしそうまでしてもトルコには勝てない。あわや、という時スレイマン大帝が急死した。後を襲ったセリム二世は、酒と女に溺《おぼ》れ、ハーレムを一歩も出ようとはしない。彼とマクシミリアンは早速、和議を結んだ。一五六八年のことである。こうして取りあえずは、トルコの脅威が去った。のこるは帝国内の宗教紛争の収拾《しゅうしゅう》である。

しかし歴史上、宗教紛争の収拾に成功した統治者がいるだろうか？　マクシミリアンの施策はことごとく破綻《はたん》する。「寛容な支配者」「人文主義、エラスムス主義キリスト教の代表者」「宗教和議の皇帝」「謎めいた皇帝」。いずれも現代の史家たちがマクシミリアンの姿勢を一言で表した言葉である。豊かな教養に包まれた、コスモポリタン人文主義の皇帝像が浮かび上がる。しかし時はまさしく近世の入口。その扉に向かって皆が一斉に駆け出し、大混乱を来《きた》している時だ。全体を見通すことなどとてもできない。信じられるのは自分の皮膚感覚だけである。そこにすべてのエネルギーが充満する。コスモポリタンは地域エゴにあっさりひねりつぶされる。人文主義、エラスムス主義キリスト教は「不合理故に我信ず」で凝り固まった教条主義のすさまじいエネルギーに弾《はじ》き飛ばされる。

旗幟鮮明《きしせんめい》にしなければならないのだ。例えばパリサイ人でありながら、イエス・キリストに教えを乞い、裁判の際にはイエスを弁護し、彼の埋葬に力をかしたサンヒドリン議員のニコモデ。ところが『新約聖書』には、彼が明確に信仰告白をしたという記述がない。これは、宗教分裂の時代には許されないことなのだ。宗教改革に賛意を表するがその運動には参加しないエラスムスも、同様の論理で許されない。当然マクシミリアンも許されない。

マクシミリアンの従兄弟フェリペ二世はアルバ鉄公を使ってネーデルラントのプロテスタントを徹底的に弾圧した。フランスの母后、カトリーヌ・ド・メディシスはサン・バルテルミーの虐殺を行った。プロテスタントは内部で執拗なまでの宗教論争を繰り返し、たがいに憎み合い、そしてカトリック以上に魔女狩りに狂奔した。マクシミリアンにはなす術《すべ》がなかった。これらの狂暴なエネルギーの前に「カトリックでもない、プロテスタントでもない、一人のキリスト教徒なのだ」というマクシミリアンの言葉はただ虚《うつ》ろに響くだけであった。

それでもマクシミリアンは闘った。諦《あきら》めない。これぞハプスブルク家の鉄則である。腎臓病に侵された身体をおしてレーゲンスブルクの帝国議会に出席したのが一五七六年十月。カトリック、プロテスタント諸侯の前で彼は平和と安寧《あんねい》と秩序を必死に説いた。死相がすでに表れていた。長広舌が終わるや否や昏倒した。死の床で、彼は妻マリアの必死の懇願にもかかわらず臨終の秘蹟を受けることを拒否した。「余の司祭は天におわす」が彼の返事であった。

こうしてマクシミリアンは十月十二日、告解もなく、終油もなく、息を引き取った。やはり、根底ではプロテスタントであったのか？　否、「カトリックでもない、プロテスタントでもない、一人のキリスト教徒」としての、そして人文主義者としての自分を貫こうとしたのだ。自分の死が壮麗に演出されることで、宗教紛争がさらに倍加されることを恐れたのである。

フリードリヒ五世

ハプスブルク家に啖われた獅子

鷲が獅子を啖《くら》うの図ではなく、緑の獅子が太陽を啖う図とあらば、それは錬金書『哲学者の薔薇《ばら》園』（一五五〇年）に挿し込まれた錬金術御馴染《おなじ》みの寓意図である。ものの本によれば、この寓意図では獅子が緑色であることが味噌《みそ》になっている。すなわち緑色の野生的な獅子は生の根源的状態にある物質を意味している。そして太陽とは男性的・精神的な光りとロゴスの原理（C・G・ユング）の謂《いい》。精神が物質の中に埋没する。これが死の意味であるといわんとしているのか。

しかし、「錬金作業の全過程からすると、これは死の克服、すなわち復活のためにどうしても欠かすことのできない一段階なのである」とすれば、「これは一方からいえば、悦《よろこ》ばしい誕生の寓意でもある……。だから、緑の獅子は太陽を呑《の》み込みながら、同時に吐き出してもいるのである」（種村季弘）。なんだか、わけのわかったような、わからないような話である。錬金術関係の書を繙《ひもと》くと、決まってこの種の隔靴掻痒《かっかそうよう》の感に襲われるものだ。

さて、それでは鷲が獅子を喰うの図。実はこれも錬金術とまんざら、縁がないわけではない。鷲は双頭の鷲である。双頭のうち一つは男性、いま一つは女性。こうした両性具有とは「上方にあるものは下方にあるものと全く同じであり、下方にあるものは上方にあるものと全く同じである」という謎めいた言葉をクレド（信条）「とした錬金術の原理の象徴でもある。おまけに、この双頭は一つの帝冠を戴いている。つまり、「あらゆる反対物が和解する存在のみが完全であって、この完璧《かんぺき》な状態が等価の威厳を有する双頭で表現され」（M・P・ホール『錬金術』大沼他訳）ているというわけである。だからこそ、この双頭の鷲は、かつて至高の存在であったはずの神聖ローマ帝国の象徴となった。それがいつのまにか帝国皇帝の座を代々、襲ってきたハプスブルク家の紋章となる。ここでいう双頭の鷲とは、いまでは至高の存在とはほど遠い十七世紀ハプスブルク家の謂である。

この鷲が獅子を喰ったのはボヘミア王国の首都プラハ郊外の白山においてである。とすれば、この獅子とはかつてはプファルツの獅子と謳《うた》われながら、後にはボヘミア冬王と蔑《さげす》まれたプファルツ選帝侯フリードリヒ五世ということになる。そして、この獅子はガーター勲章を胸に下げている。ソールズベリー伯爵夫人の靴下留めがその発祥であるという俗説は別にして、このイギリス最高位の勲章の象徴は同国の守護聖人、聖ジョージである。ところでこの聖人、カトリックから見ると異教のにおいがする。こんな人物を守護聖人とするイギリスそのものもカトリックの不倶戴天《ふぐたいてん》の敵となる。事実、十六世紀、血なまぐさい宗教戦争の最中、栄光ある処女王エリザベス女王の君臨するイギリスは反カトリックの、とはすなわち、反ハプスブルク家の精神的支柱であった。

それでは、なぜガーター勲章が獅子フリードリヒ五世の胸に下げられたのか。エリザベス女王の後を襲ったジェームズ一世の王女エリザベスの選帝侯家への輿《こし》入れによるものである。「テムズ川とライン川の合流」（F・イエイツ『薔薇《ばら》十字の覚醒』山下知夫訳）である。首都ハイデルベルクは沸き立った。さなきだに、プファルツ選帝侯家とは七選帝侯のうち四つの在俗選帝侯筆頭の家柄である。合流なった二つの川が大きなうねりとなってドナウ川を呑み込むのは時間の問題であるかに思えたのも無理はない。かくして、フリードリッヒ五世は妻の実家、大英王国という強大な後ろ盾を得て、暗殺されたフランス王アンリ四世亡き後の反ハプスブルク家陣営の先頭に立たされることになる。否、自ら進んで立つ。それが彼の悲劇の始まりである。

それは同時に宗教戦争直後のつかの間の平和にホッと安堵《あんど》の胸を撫で下ろしていたドイツを、ヨーロッパ全体を再び阿鼻地獄に叩き込んだ三十年戦争の始まりでもある。これをして産みの苦しみと呼ぶのはどうかは知らぬが、ともかくヨーロッパはこの地獄巡りを経てようやく近代の扉をこじ開けることになる。もちろん、扉が開いたからといって、すべてがそこをすんなりと通れるわけではない。通せんぼを食らい永遠の闇に鎖されたものもある。そうでなくてなにが近代か。かくして、錬金思想を始めとするヘルメス学は晴れの世界でのその命脈をほぼ絶たれることになる。もっとも、韜《とう》晦《かい》を旨《むね》とする錬金術にとって、それは望むところか。

しかし、ここで錬金術が妖《あや》しい隠花を咲かすことで法悦に浸り込んだなどと勘違いしてはならない。妖しい隠花云々《うんぬん》とは、あくまでも三十年戦争を経た近代ヨーロッパの側からのもの言いで、当の錬金術にとっては預《あず》かり知らぬことである。錬金術は人間存在を金《きん》のごとく至純なものに錬成することに邁進《まいしん》していただけである。そんな錬金術が、正確にいえば、「大錬金術師パラケルススとルターのハーフ」である薔薇十字思想が、鷲が獅子を啖うことで始まる阿鼻地獄にどうかかわっていたかを活写したのが、F・イエイツの前掲の書である。これがすこぶるつきに面白い。本稿はほぼこの書に拠《よ》っている。

ともあれ、獅子は斃《たお》れた。後ろ盾と頼んだ岳父ジェームズ一世の変心のためだ。大陸の新教国を糾合《きゅうごう》、支援し、もってハプスブルク家に対抗するとは前王エリザベス女王以来のイギリスの国是であったではないか。それを舅殿はあろうことか仇敵ハプスブルク家と手を結ぼうとした。なんたることか。獅子フリードリヒ五世の嗟嘆《さたん》は続く。しかし、舅殿ジェームズ一世はこの娘婿の怨みがましい嘆きなど屁《へ》とも思わない。この醜貌《しゅうぼう》極まる「最も賢明な愚かもの」は我が娘よりも我が母を深く愛する。そしてその母、メアリ・ステュアートを処刑したのは前王エリザベス女王ではないか。なにが悲しくて母の仇《かたき》エリザベス女王の採った政策を踏襲せねばならぬのか。

こうしてジェームズ一世は娘夫婦を見捨てる。イギリス王がその気ならばと、宗教的情熱に燃えていた筈のプロテスタント諸侯も一勢に右に倣《なら》えである。諸侯に見放され、獅子フリードリッヒ五世はボヘミア冬王となり果てる。

フス派の影響下にあるボヘミア教会がハプスブルク家さしまわしの二人のカトリック僧侶をプラハのある建物の窓から放り出したという窓外放擲《ほうてき》事件の後、ボヘミア国民が公然とハプスブルク家に反旗を翻し、プファルツ選帝侯フリードリヒ五世をボヘミア王に推戴したのは一六一九年のことである。獅子フリードリヒはこれを受諾。一年後、鷲に襲われ、プラハを逐電。鷲とは神聖ローマ帝国皇帝フェルディナント二世。

イエズス会士に育てられたガチガチのカトリック狂信派。異端討伐に狂奔する。つまり、獅子フリードリヒのプラハ逐電とは、同時に異端思想に根ざす錬金術のプラハ逐電でもある。逐電というからには、それ以前には錬金術がプラハに腰を据えていたことになる。しかり、プラハは一時、魔法の都と呼ばれていた。時は宗教戦争と三十年戦争の狭間《はざま》。ただし、そうした土壌はフリードリヒが持ち込んだものではない。ウィーンのホーフブルク宮ではなく、プラハのフラーチン城に居を定めた。ハプスブルク家極め付きの変わりものルドルフ二世の奇妙な収集癖の賜物《たまもの》による。彼は、あらゆる反対物の和合の象徴である双頭の鷲を自ら任じ、世界の和合を夢み、多くの遺賢を呼び寄せる。「ルドルフの円卓」に集《つど》うたのは、錬金術師、占星術師である。

ルドルフによれば、世界の和合は政治的手段ではなく、神秘諸術によりなる、というわけである。もちろん、皇帝たるものが、こんな幻想的な夢に浸っていれば、ハプスブルク家の「兄弟喧嘩」が持ち上がるのは必定。獅子フリードリヒはその間隙《かんげき》を衝《つ》いたのだ。しかし、ルドルフの従兄弟であり、彼の次の次の皇帝フェルディナントはフリードリヒの野望を打ち砕く。同時にルドルフの奇妙な夢の名残《なごり》である珍奇博物館も跡形もなく消えた。錬金術師、占星術師も地に潜る。世は挙げて三十年戦争に突入する。

鷲が獅子を咬うことで地に潜り、闇に鎖された錬金思想はその後どうなったのか。三十年戦争という阿鼻地獄とは、野性をもって生まれた人間が金の如く至純な存在にまでたかのぼるために「どうしても欠かすことのできない一段階」であったのか。しかし、この鷲が獅子を「呑み込みながら、同時に吐き出している」とは、とても思えない。これが当方の僻目《ひがめ》であれば幸いである。

フランツ二世（一世）

神聖ローマ帝国の消えた日

どちらかというと評判はよくない。特に文人たちは帝に辛辣《しんらつ》である。フランツ帝はおよそ新しいものが嫌いだった。その治世、十八世紀末から十九世紀前半（一七九二～一八三五年）までの新しいものといえばなんといっても革命である。フランス大革命とそれに続くナポレオン戦争には何度煮え湯を飲まされ続けたことだろうか。以来、カクメイのカの字も目にしようものなら、とたんに身を強張《こわば》らせた。そこで世界に冠たる検閲制度をしいた。オーストリア官僚組織は、なにかを生み出すのではなく、なにかを抑えつけることに関しては無類の強さを発揮する。いかなる些細《ささい》なことも見逃さない。ある熱心な検閲官はシラーの『群盗』を槍玉に挙げた。彼はこの戯曲に登場する伯爵の邪悪な次男坊の名前が気に入らなかったのだ。ただちに彼は「その悪党の名前はフランツというのだな？」という個所の削除を命じた。恐れ多くも陛下への不敬にあたるというのである。これを聞いた当のフランツ帝はさすがに「余の検閲官にも困ったものだ」と苦笑したという。

ともあれ、こうした検閲官たちの精読につぐ精読のおかげで出来上がった禁書リストは膨大なものとなった。もちろん、禁止されれば読みたがる。地下出版すれば儲かること請け合い。そんな危険を侵す気がなくても、せめてどんな書が禁止されているかを知るだけでも心ときめくものだ。そしてその膨大さゆえに精緻《せいち》な読書案内となっている。かくしてこの禁書リストそのものが隠れたベストセラーになった、というのだから滑稽《こっけい》である。

フランツ帝の官僚組織はこんなふうに動いた。なにしろ帝自身が頑迷固陋《がんめいころう》、狷介《けんかい》、狭量なのだから官僚たちは水を得た魚も同然であったわけである。文人たちが帝を忌《い》み嫌ったのも無理はない。

フランツ帝と文人たちの軋轢《あつれき》を物語る逸話をもう二つ三つ紹介してみよう。帝の下級役人でもあった当代オーストリア最高の劇作家グリルパルツァーの昇進が具申された時のこと。帝は「なに？　芝居を書いているものか？　よし、余のために芝居を作れ！　だが、だからといって昇進することはまかりならぬ、とそのものに申せ！」と言った。もともと若い時に「カンポ・ヴァキーノ」という詩で筆禍事件を起こしているグリルパルツァーである。これで彼の役人としての命脈は絶たれたのである。

詩人カステリがフランス警察に訴追され、フランツ帝に庇護《ひご》を求めてきた時のこと。帝は訴追の理由を聞いた。「愛国的解放の詩をいくつか書いたためでございます。陛下！」と詩人は答えた。すると帝は「そんなものを書けと一体誰がそちに命じたのだ？」とにべもなく突き放した。

極め付きはライバッハのギムナジウム教授団を前にしてのフランツ帝のスピーチである。曰《いわ》く、「曲学阿世の徒は要らぬ。余に必要なのは公正かつ有能な市民である。

……。余に仕える諸君は、余が命じることを教授しなければならない。それができぬもの、あるいはなにやら新しい理念を携《たずさ》え余に近づくもの、そんな輩《やから》はこのギムナジウムを去るがよい。さもなくば余が罷免してくれるわ」とたいした自信である。もっともこの頃、フランツ帝は得意絶頂にあった。怨敵《おんてき》ナポレオンが自壊同然にヨーロッパ世界から放逐されて旧体制が復活した。ナポレオン戦争の戦後処理を決めたのが一八一五年のウィーン会議である。二人の皇帝、四人の国王をはじめとするあまたの君主たちが数カ月にわたって一同に会した未曾有《みぞう》の国際会議である。莫大《ばくだい》な戦費乱用とナポレオンの知恵袋フーシェによる偽札まで駆使した経済攪乱《かくらん》作戦によってオーストリアの国家経済が破産寸前であったにもかかわらず、フランツ帝は会議のために実に気前よく「すべての人のために勘定を払った」。こうしてできたのがウィーン体制である。オーストリアは再びヨーロッパの中心となったのだ。

一八一八年、ウィーン体制強化のためにアーヘン列国会議が開かれる。会議に訪れたフランツ帝は行く先々で「我らが皇帝万歳！」の熱烈歓迎を受ける。同行した重臣メッテルニヒは「陛下のお言葉一つ一つが深甚《しんじん》なる影響力をもつのでございます」と帝に諂《へつら》ったぐらいである。ウィーン体制は別名メッテルニヒ体制という。それほど宰相メッテルニヒは権勢を振るった。しかしそれでも「宰相殿には及びもつかぬが、せめてなりたや皇帝様に！」といった類の戯《ざ》れ歌は決して生まれはしなかった。

帝と宰相は後のヴィルヘルム一世と鉄血宰相ビスマルクのように君臣あい交わりながらも、やはり君は君、臣は臣であった。メッテルニヒはしみじみと漏らしたという。「陛下の意志は強固であられる。誰も陛下に御自身が望まれぬことをおさせすることなどできはしない。陛下から遠ざかれば、この私とて一日たりともいまの地位に留まることはできぬだろう」と。メッテルニヒといえどもフランツ帝のまえでは追従《ついしょう》の徒とならざるを得なかったのである。

ところで、古都アーヘンはカール大帝の都。そして住民たちの歓呼の声。帝の言葉

フランツ二世

が「全ドイツにおいて破ることのできぬ法律となるのです」というメッテルニヒの追従。帝はひょっとしたら思ったかもしれない。我こそはカール大帝の、あるいはオットー大帝の後継者である、と。だがこう思うと同時に「余はもはや神聖ローマ帝国皇帝ではないのだ」と、あの日のことを苦々《にがにが》しく振り返ったことだろう。あの帝国の消えた日のことを。そして仇敵ナポレオンに受けた屈辱の日を苦々しく思い出したことであろう。

オットー大帝が戴冠して以来千年近く続いた神聖ローマ帝国がこの世から消えるに先立ち二つの帝国が生まれた。一つはフランス帝国。一八〇四年五月十八日、ナポレオンはフランス皇帝となる。そのわずか三カ月後、オーストリア帝国が生まれた。神聖ローマ帝国皇帝フランツ二世は突如としてオーストリア皇帝となったのである。フランツ帝はいまや有名無実となった神聖ローマ帝国皇帝位を除けば、オーストリア大公、ボヘミア王、ハンガリー王等々の称号しかもっていない。ロシアそしてフランスの君主と完全に対等の称号は皇帝しかない、というのがフランツ帝の理屈であった。そしてフランツ帝は「余はフランス皇帝を、彼が余のことをオーストリア皇帝と認める条件でのみ皇帝として認めよう」と宣した。こうしておいてフランツ帝は、すでに死臭も消え、腐乱も終えて、白骨と化した神聖ローマ帝国の正式な埋葬許可書を書き上げる準備を整えたのである。

さて、それではオーストリア帝国とはなにか？　史上初めて登場する名前である。ハプスブルク家の主な領土は十六世紀前半にほぼ確定されたが、以来三百年にわたってその領土は「ハプスブルク家世襲領」と呼ばれてきた。統一した名前がなかったのである。すなわち世にいうハプスブルク王朝とは、法制的にも、地理的にも、民族的にもそれぞれ異なる諸国のゆるやかなコングロマリットであったのだ。それでも構わなかった。ハプスブルク家には神聖ローマ帝国皇帝の位があったからである。その位は血統権原理ではなくあくまでも選挙原理によって決められていたのだが、事実上はハプスブルク家世襲も同然であった。もちろんこの帝国はいまや、あってなきがごときものだが、少なくとも皇帝の称号は存在する。それで十分なのである。ところが、その称号すらナポレオンのおかげでこの世から抹消されようとしている。

そこで、フランツ帝は思った。神聖ローマ帝国が完全に消え去る前に一刻も早く、我が一門世襲の皇帝位を設けなければならない。「ハプスブルク家世襲領」を統一した世襲帝国にするのだ。名はなんとする？　我がハプスブルク家は根拠地オーストリア公爵領にちなんで別名オーストリア家という。新帝国名は「オーストリア帝国」。ここで間違ってはならないのは、オーストリア人の帝国ではない、オーストリア家、すなわちハプスブルク家の帝国であることだ。それが証拠に、五千万帝国臣民は少なくとも十二の民族に分かれている。多民族を支配する、つまりは世界をしろしめす、これぞ皇帝の名にふさわしい、と。

たしかにそうなのだ。オーストリア帝国は、帝位が欲しいというフランツ帝の虚栄心とは別に、必然的に帝国であり、決して王国とはなり得なかった。その点、フランスは違った。フランス帝国はフランス民族の国家なのだ。ナポレオンはフランス王を名乗ってもよかったのである。ブルボン王家を忌避《きひ》するがゆえに皇帝を名乗ったにすぎない。民族感情のエネルギーは祖国フランスに収斂《しゅうれん》している。

一方、オーストリア。「民族はたくさんいる。領地はたくさんある。しかしオーストリア民族はいない。国家はない」（H・アンディクス）。それゆえオーストリア帝国とは民族が自然発生的に作ったものでは毫《ごう》もない。神に選び抜かれた一族ハプスブルク家が諸民族を束ねて作り上げた「精巧な作品」（H・アンディクス）なのである。

だが、民族意識が大きなうねりとなってヨーロッパを席巻していた時こんなフランスとオーストリアの両者が戦えばどうなるだろうか。「祖国！　しからずんば死！」がフランス兵士の合言葉である。

一方、オーストリア。「御身（＝ラデツキー将軍のことをさす）の陣幕にこそオーストリアがあり、我ら兵士にあらざるものは個々の瓦礫《がれき》にすぎない」とグリルパルツァーが深く憂慮したように帝国臣民には祖国がない。軍にオーストリア帝国があるだけである。しかしそのオーストリア帝国とはハプスブルク家の拵《こしら》え物にすぎない。だから「オーストリア兵士は祖国をもっていない。兵士はただ一人の至高の大元帥をもっているだけである」（ガブレンツ将軍）。それゆえにその大元帥フランツ帝は弟ヨハン大公が対ナポレオン戦のための祖国防衛隊創設を具申した時それを退け、あまつさえ兵士に向かって「祖国ではなくこの余に忠誠を誓え！」と号令したのだ。つまりオーストリア軍とは極言すればハプスブルク家の私兵であり、「いつばらばらになってもおかしくはないオーストリア君主国家を繋《つな》ぎ止める最後の蝶番《ちょうつがい》なのだ」（アルプレヒト大公）。こういう軍隊は平時にこそ無敵である。つまり、その剣の矛先《ほこさき》はあくまでも帝国内に向けられており、もともと対外戦用にはできてはいないのだ。かくしてオーストリア軍は負けるべくして負けるのである。

その負けるべくして負けた戦いの一つにアウステルリッツの戦いがあった。神聖ローマ帝国滅亡へのとどめの一撃であった。第三次対仏同盟戦争のこの最後の戦いは、チェコスロバキア中部のアウステルリッツを舞台に、一八〇五年十二月二日朝七時に始まった。ナポレオン率いるフランス大陸軍七万一千人。たいするロシア・オーストリア連合軍九万三千人。戦線は十五キロに広がり、戦闘は九時間に及んだ。戦況はトルストイの『戦争と平和』に詳しい。ともあれ、フランス軍の死者は約八千。これにたいし連合軍の死者は約一万六千。さらに二万人がフランス軍の捕虜となる。フランス軍の歴史的大勝利である。ナポレオンはちょうど一年前のフランス皇帝戴冠式の記念日を赫々《かくかく》たる戦果で飾ったのである。

戦闘の二日後、十二月四日午前十時、アウステルリッツの南東十五キロにある寒村の水車小屋近く。晴天、そして肌を刺すような寒風。一台の馬車がやって来た。一人の男が降りてきた。この時三十七歳のフランツ帝である。その相貌はすでに初老を迎えたように見えたという。野営の火の側で将軍たちを従えていた三十六歳のナポレオンが馬車に近づき、こう言った。「このような不便な所に陛下をお迎えせざるを得なかったことを遺憾に思います」と。これにたいしてフランツ帝は「陛下は粗末な営舎を大いに利用される術《すべ》を心得ておられますな」と答える。帝は不機嫌そのものであった。というよりは情けなかった。無念が全身を走った。戦いに負けたからではない。なぜこんな寒風吹きすさぶ所で、しかも立ち詰めで和平交渉をしなければならないのだ。

帝はどちらかというと質素な生活を送ってきた。ビーダーマイヤー風の小市民的生活様式が好きだった。適度に温かい部屋、こぎれいなテーブルと机。そしてローストチキンを頰《ほお》ばる。せめてこれだけでもいいのだ。だが青空の下、寒風は容赦なく吹きつける。歯の根が合わない。寒さで全身が痙攣《けいれん》する。それでも、否、それだからこそナポレオンは素知らぬ顔で交渉を始めた。野営の火の近くで立ちっぱなしの交渉は二時間も続いた。交渉というよりはナポレオンによる一方的な判決文の言い渡しである。帰路、フランツ帝は、同行したリヒテンシュタインに涙まじりに「彼に会ってきたいま、余はこれ以上彼には耐えられない」（H・アンディクス）と漏らしたという。この時帝は五年後、その憎きナポレオンの舅《しゅうと》になろうとは夢にも思わなかったことであろう。

それにしても落ちたりとはいえ、栄光ある神聖ローマ帝国の皇帝ともあろうものが寒風の中二時間も立たされ続けるとは。コルシカ生まれの成り上がりものにいいようにあしらわれるとは。しかもこの成り上がりものは「余は我がボナパルト家のルドルフ・フォン・ハプスブルクである」と、我が身をハプスブルク家の神君ルドルフになぞらえているというではないか。許せぬ！　だがフランツ帝にはどうすることもできなかったのだ。一千年にわたるヨーロッパ世界の、キリスト教世界の守護者という貴き御座《ぎょざ》はこうして辱《はずかし》められ、汚されたのだ。いよいよ神聖ローマ帝国が完璧《かんぺき》にこの世から消え去る日が近くなった。

神聖ローマ帝国の完全抹殺は帝国内の三百有余の小領邦君主の主権剝奪と、莫大な教会領の世俗化ですでに始まっていた。ナポレオンの意を受けた一八〇三年のドイツ帝国代表者会議決議をフランツ帝とローマ法王は拱手傍観《きょうしゅ》するしかなかった。この決議によりマインツ選帝侯領を除くすべての大司教領、司教領、大修道院領が世俗化され、アウクスブルク、ブレーメン、フランクフルト・アム・マイン、ハンブルク、リューベック、ニュルンベルクを除く四十一の帝国都市が主権を失い、それぞれバイエルン、ヴュルテンブルク、プロイセンなどの大中の諸領邦に再編成され、豆粒諸侯、多数の帝国伯爵たちは陪臣化を余儀なくされたのだ。こうして神聖ローマ帝国の三百有余の主権国家群は約四十のそれになってしまったのである。そして陪臣化されることを潔《いさぎよ》しとしなかった豆粒諸侯や帝国伯爵の多くはそれならば、とフランツ帝の庇護を求めてウィーンに下った。後に帝の重臣となるメッテルニヒもその中の一人であった。

こんな中、アウステルリッツの戦いで大勝利をおさめたナポレオンは、後ほんの一突きすればよかったのである。そうすれば神聖ローマ帝国はこの世から完全に消える。一八〇六年、七月十二日、所はパリでライン連邦が組織された。ナポレオンのおかげで王国に昇格なったバイエルン、ヴュルテンブルク両王国を始めとする十六の領邦国家がこれに参加。ナポレオンを後ろ盾に同連邦は八月一日、南ドイツのレーゲンスブルクにある帝国議会に代表者を引き上げる旨を通告。これを受けてナポレオンはもはや帝国憲法の存在を認めない、と宣言し、神聖ローマ帝国皇帝フランツ一世に、八月十日までに帝冠を脱がなければならない、と最後通牒《つうちょう》を送りつけたのである。

文人ヴィーラントは「現行のドイツ帝国憲法は、その否定できない瑕疵《かし》と欠陥にもかかわらず、国内全体の安寧《あんねい》と幸福のためには、フランス民主制よりもはるかに役立ち、ドイツの性格と現在あるドイツ文化の階梯にすこぶる適《かな》っている」と書いた。しかしこういう見解は稀《まれ》な方で、ドイツの文人たちは、ドイツのグロテスクなまでの多極分裂を放置してきた帝国憲法には皆一様に辟易《へきえき》していたのである。そしてナポレオンの最後通牒にたいしてフランツ帝がどう出るかを固唾《かたず》をのんで見守っていたのである。

フランツ帝はもう諦《あきら》めた。帝は「かくなるうえは、ナポレオンをあるいは彼の傀儡《かいらい》の首長に据えて、もっぱらナポレオンの野心の達成のためだけに利用されるような連合組織に余の国家をとどめおくよりも、すべての帝国組織から余の国家を引き離すべきである」と決意した。言うまでもなく、ここで言う「余の国家」とは神聖ローマ帝国ではなく、オーストリア帝国のことを指す。この時すでに帝は神聖ローマ帝国皇帝フランツ二世ではなくオーストリア帝国皇帝フランツ一世であったのだ。

かくして一八〇六年八月六日、ウィーン宮廷内礼拝堂のバルコニーで帝国伝令官によりフランツ二世帝の「ドイツ国民の神聖ローマ帝国皇帝退位」の詔勅が朗読された。併《あわ》せて帝国の解消も宣せられたのである。ついに帝国は消えた。それまで数百年にわたって十九人のドイツ王、ドイツ帝を輩出してきたハプスブルク家は二十人目にラストエンペラーを生んだことになる。当のフランツ帝の心中は？　オーストリア帝国初代皇帝であると同時に神聖ローマ帝国ラストエンペラー。どう考えても屈辱以外のなにものでもない。

だが、ナポレオンは手を緩めない。軍神は一八〇八年、九月末から十月にかけてエアフルト諸侯会議を招集し、四人の王と三十四人の諸侯に忠誠を誓わせた。そして出席を拒んだフランツ帝に「私にはオーストリア君主国を殲滅《せんめつ》する力がある。御貴殿が陛下でいられるのも、それは我々の意思によるものである」と、挑発を仕掛けた。怒《ど》髪天《はってん》を衝いたフランツ帝はオーストリア単独でナポレオンに宣戦を布告した。当然の如く敗退。帝はついに長女マリア・ルイーゼを人身御供《ひとみごくう》としてナポレオンに差し出さざるを得なくなったのである。かつて神聖ローマ帝国位を奪われ、いままた娘も強奪されたのである。

このようにフランツ帝の治世前半は屈辱の連続であった。帝はフランス大革命とナポレオンが封印を解いた国家意識と民族意識の強大なエネルギーに散々、翻弄《ほんろう》され続け、骨の髄まで恐怖した。そこで帝の得た結論とは超民族王朝であるハプスブルク王朝には祖国は要《い》らないという絶対の真理であった。「祖国にではなく、余に忠誠を誓え」と唱えてこそ神に選び抜かれた一族、ハプスブルク家は存続する。これがフランツ帝のクレド（信条）となったのだ。

一八一五年のウィーン会議、一八年のアーヘン列国会議から晩年にいたるまで、幸運なことに帝は、この己がクレドにわずかの疑念ももつことなくすごすことができた。だからこそその忠誠を誓う帝国臣民には慈悲のごとく接し、「善良な皇帝」という頌詞をうけることができたのである。しかし帝国の消えたあの日のことと、ナポレオンへの恨みだけは終生忘れなかったことであろう。

フランツ・カール大公

皇帝になれなかった男

一八六六年の夏はオーストリアの保養地バート・イッシュルの散歩道。功なり名を遂げた一人の親方が同じ湯治客《とうじきゃく》に話しかけている。相手は頰髭《ほおひげ》も白い老紳士である。親方は尋ねる。「息子さんはおありかな?」。老紳士は答える。「ええ、四人もね」「いちばん上の息子さんはなにをしていらっしゃる?」「長男は皇帝ですよ」。親方は口をぽかんと開けた。それでもさらに聞いた。「御次男は?」「次男もやはり皇帝なのですよ」。親方はどもりながら聞いた。「それでは御尊父は一体なにを?」「皇帝ですよ」。親方はやけくそになった。「御大父は?　そして御大父の御兄上は?　貴方様ご自身の御令兄は?」「正真正銘の折り紙付きの皇帝!」。親方は涙声になった。「それでは貴方様も皇帝であられるのですね?」。すると老紳士は寂しそうに微笑《ほほえ》んだ。「いいえ!　この私だけは皇帝ではないのですよ。でも、私ももう少しで皇帝になれるところだったのですがね」

H・アンディクスが紹介しているフランツ・カール、オーストリア大公の逸話《いつわ》である。アンディクスが言う通り、実話ではないのだろう。だが、祖父はレオポルト二世。祖父の兄はヨーゼフ二世。父はフランツ一世。兄はフェルディナント一世。長男はフランツ・ヨーゼフ一世。いずれも皇帝である。そして次男もまたメキシコ皇帝マクシミリアン一世となっている。たしかに彼だけが皇帝ではないのだ。

「朕《ちん》思うに、諸般《しょはん》の事情を鑑《かんが》み、いま決然と帝冠を脱ぐを決意するにいたりたり。而《しこう》して、朕が甥フランツ・ヨーゼフ大公の成人に達することをここに宣言するものなり。なお、朕が弟フランツ・カール大公は、ハプスブルク家家憲および帝国法に定められし大公の皇位継承権を、長子フランツ・ヨーゼフ大公がために決然と放棄せんことを宣言するものなり」

一八四八年十二月二日、帝都ウィーンの北北東約百六十キロにあるモラヴィアの静かな小都市オルミュッツの大司教館、玉座の間で「虚弱な君主」フェルディナント一世は震える声で吃音《きつおん》がちに詔勅を読み上げた。この兄の朗読を聞きながら、フランツ・カール大公は帝位が自分を素通りするのを漫然と眺めるしかなかった。たしかに大公は「もう少しのところで皇帝になれるところだった」のだ。

正確に言うとフランツ・カール大公は皇帝になれるチャンスを二度逃している。一度目はやむを得なかった。しかし二度目はなんとも情けなかった。なぜ逃したのか。今度ばかりは妻ゾフィー大公妃のせいだ。少なくともフランツ・カール大公自身はそう確信していた。たしかに一度目の場合、ゾフィーはなんの関与もしていない。だが二度目、彼女は夫である大公に皇位継承権放棄を強く迫った。大公が妻のせいで皇帝になれなかったと思い込むのも無理はなかった。しかし妻に言われて継承権放棄書にサインするくらいの人物である。妻がどうのこうのという次元ではない。二度目も一度目と同じく彼を否とする王朝の組織原理に敗れただけである。少しその経緯を覗《のぞ》いてみよう。

一度目。フランツ・カール大公の兄フェルディナント皇太子はハプスブルク家のたび重なる近親婚の痛ましい犠牲者であった。大公がバイエルンのヴィッテルスバハ家ゾフィーを妃に迎えた時、兄皇太子には妃はいなかった。「皇太子殿下は不能症というわけではございませんが、殿下のお体は婚姻生活により、御命を危うくされるやもしれぬ状態でございます」という父帝フランツ一世の侍医団の診断書のためである。そんなわけだから、やがて大公とゾフィーの間に生まれた長子フランツ・ヨーゼフはハプスブルク家の待望久しかった「世継ぎの皇子」であった。「世継ぎの皇子」の父ならば、自分が兄を飛び越えて皇帝になってもおかしくはない。もしや、という思いが大公の頭をよぎった。しかしそれはつかの間、父帝の侍医団が自ら診断を覆《くつがえ》したのである。曰《いわ》く、「皇太子殿下のご病気は殿下自身のご結婚にはなんら差し障《さわ》りなきものと思料される」と。もちろん、ある種の圧力があってのうえのことだ。しかしともあれ、かくして兄フェルディナントはサヴォイ王家のマリア・アンナを妃に迎えることになる。

この結婚は、今後どんなことがあっても次期皇帝はフェルディナントにするというフランツ一世の、そしてその重臣メッテルニヒの意思の表れである。というよりハプスブルク王朝という組織の機関決定の内外に向けての通告であった。時は一八三一年。ナポレオン亡き後のウィーン体制、別名メッテルニヒ体制もいまだ堅固。王朝は比較的安定期に入っていた。そんな折、ハプスブルク家家憲である相続順位法を無視してまで、フランツ・カール大公を皇帝に据えることになんのメリットがあろうか。大公が飛びきりに傑物であるというならまだしもである。ここは、ハプスブルク家はどんな人物を宗主に仰ごうとも微動だにすることなく永遠に続くことを見せつけるいい機会である。ハプスブルク家の保守派の代表アルプレヒト大公はいみじくも言っている。「数世紀にわたって持続するほどの君主国であるならば、事の性質上、そこには他の君主よりも能力の劣った君主が周期的に現れてくるのはやむを得ないことである。しかしこのような君主国においては虚弱な君主であってもなお国家を維持することができるような機構が整備されていなくてはならないのである」（江村洋訳）と。つまり、ことは個の問題では毫《ごう》もなく、機構、組織の問題なのである。こんな組織の論理の前には、もともと凡庸なカール大公の思惑などなんの意味もなさないのである。かくして大公の一度目のチャンスはあっけなく消えた。

一八三五年五月二日、フランツ一世崩御。ただちに皇太子がフェルディナント一世として即位する。宰相メッテルニヒは新帝を宰相御愛用の自動署名機械にすべくさまざまな策を施す。仕上げは宰相会議の設置である。新帝は虚弱にあらせられ、御自ら御政務にあたられることははなはだもって難。よって帝をお護《まも》り、補佐する会議を設置すべし、というわけである。議員はメッテルニヒを含めて四人。議長は先帝の最も凡庸な弟君ルートヴィヒ大公。メッテルニヒの言いなりである。政敵コロフラート伯爵も入れておく。宮廷に渦巻く反メッテルニヒ感情の適当なガス抜きにもなる。そして最後にフランツ・カール大公。これが諸外国より「老人連隊」と揶揄《やゆ》された宰相会議である。

それではメッテルニヒはなぜフランツ・カール大公を指名したのか。新帝フェルディナント一世の治世はそう長くはない。また帝に世継ぎが生まれることはまずあり得ない。大公の長男フランツ・ヨーゼフはいぜんとして「世継ぎの皇子」である。であるならば、その「世継ぎの皇子」を抱える大公家と誼《よしみ》を通じておかなければならない。かくしてメッテルニヒは大公家の家長、ゾフィー大公妃と取引したのである。

そう、フランツ・カール大公家の家長は大公その人ではなく、大公妃ゾフィーであった。「気の抜けたウィーン宮廷の中で一人煮えたぎっている唯一の男」と言われたゾフィーである。待望の「世継ぎの皇子」ヨーゼフを産むや、たちまちにして夫を押しのけ家長となる。彼女は夫にはとうに見切りをつけていた。ひたすら長男ヨーゼフを皇帝に据えることだけを念じていた。そのために彼女は宰相メッテルニヒと取引した。夫を自分の傀儡として宰相会議に押し込む。その代わり「世継ぎの皇子」ヨーゼフをはじめとする三人の息子の傅育《ふいく》係をメッテルニヒの腹心の部下に任せる。すべて、二人だけの取り決めでフランツ・カール大公は終始、かやの外に置かれていた。

しかしこの老獪《ろうかい》な宰相の施策は結局は王朝組織をメッテルニヒ個人に解消してしまうやり方である。彼は己の権力の延命という個の論理にあまりにも執着しすぎたようである。三十年以上も権力の中枢に居続けると、個と組織の境の見分けがつかなくなり、個の感情を剝《む》き出しにしても恥じなくなる。

一八四八年、ウィーン体制にも綻《ほころ》びが目立ち、全ヨーロッパで革命の嵐が巻き起こる。ここウィーンでも革命が起きる。そんな中、個の論理にしがみついたメッテルニヒの延命工作は組織防衛にとって剣呑《けんのん》なものとなってきた。王朝組織は彼を切り捨てた。先帝フランツ一世在世の際、自分が掲げた組織原理によってメッテルニヒはロンドンへの亡命を余儀なくされたのである。

ハプスブルク家そのものはこのたびの革命をなんとか凌《しの》いだ。だが、これ以上「虚弱な君主」ではやっていけない。フェルディナント一世の治世は十三年。よくぞもったものである。ハプスブルク家だからこそであろう。しかしその王朝の機構にがたがきたのだ。整備しなおすには新たな看板が必要である。「愚帝」フェルディナント一世の退位が政治日程に上った。

要するにフランツ・カール大公に二度目のチャンスが巡ってきたということである。今度は相続順位法が彼に有利に働く筈である。それが組織というものであった筈である。

しかしそうは考えなかったものが二人いる。一人は個の論理で、一人は組織の論理で、それぞれフランツ・カール大公の即位を阻止しにかかったのである。まず、他ならぬ大公の妻ゾフィー。彼女には夫よりも息子の方がずっと大事であった。夫に定められた大公に初めて会った日以来、彼女は自分は皇妃ではなく母后になるためハプスブルク家に嫁いできたのだと固く念じていた。いまその宿願が叶《かな》えられるのだ。手塩にかけて育て上げ、自ら帝王学を授けたヨーゼフをなんとしてもいますぐに皇帝にさせるのだ。凡庸な夫によって社稷《しゃしょく》をこれ以上危うくされてはたまらない。父親に似ぬ聡明なヨーゼフこそ新帝にふさわしい。こうしてゾフィーは夫フランツ・カール大公に継承権放棄を強く迫ったのである。

次にシュヴァルツェンベルク侯爵。先の革命鎮圧に功のあったヴィンディッシュ・グレーツ将軍の義弟で、これから始まろうとする新体制の舵《かじ》取りである。侯をはじめとする危機管理内閣は旧体制の垢《あか》が染みついているフランツ・カール大公を新帝に戴く気はさらさらなかった。ここは新体制の名にふさわしいフレッシュな皇帝でなければならない。なにしろ皇帝が治世半ばにして退位するのだ。君主交代。このスキャンダラスな事件は取りも直さず連綿と続いてきたハプスブルク王朝の危機を示している。この社稷を揺るがす危機は深い。王朝の構造的欠陥に根ざしている。それを「愚帝」フェルディナント一世の十三年に及ぶ治世の弊害といった個人的問題にすり替え、「颯爽《さっそう》たる青年皇帝」フランツ・ヨーゼフ一世を即位させることによって危機をひとまず隠蔽《いんぺい》する。これがシュヴァルツェンベルク侯爵の戦略であった。

晩年のフランツ・カール夫妻

もちろん、侯爵の慧眼《けいがん》はハプスブルク家の抱えている構造的欠陥を見落としはしなかった。それがあまりにも由々しきがゆえに、君主交代というパッチ・ワークを施さざるを得なかったのである。そして彼は「颯爽たる青年皇帝」という個人レベルでのこれ以上ない絶対の切り札を駆使しながら、王朝組織の建て直しをはかろうとしているのである。彼が夢見たものは、「颯爽たる青年皇帝」という情緒的表看板の下で、実はすべてをシステムとして処理する組織である。つまり、表看板である当の青年皇帝フランツ・ヨーゼフですら容易に容喙《ようかい》できぬ非情の組織である。

新しい慧眼の宰相シュヴァルツェンベルク侯爵にこんなことを考えられていたら、フランツ・カール大公がどうあがいてもてんで話にならない。しかも大公はあがきもしなかった。己を知っていたのか、ともかく妻の説得に唯々諾々《いいだくだく》と従った。こうして帝位はフェルディナント一世から大公を素通りして大公の長男フランツ・ヨーゼフ一世に移った。大公の二度目のチャンスもつぶれるべくしてつぶれた。

ちなみにこの時新帝フランツ・ヨーゼフは十八歳であった。この君主交代の時からフランツ・カール大公は三十年この世にあった。この間、自分が帝位を譲った息子の統治はどうであったのか。失政の連続である。特にシュヴァルツェンベルク侯爵の思わぬ早世後、親政に入ってからというものろくでもないことばかりである。これでは、大公が己の統治能力欠如を満天下に知らせる形で皇位継承権放棄書に署名した意味はどこにあったのか。大公は息子のもたもたぶりを見て、こう呟《つぶや》いたかもしれない。

「これならば、この私が皇帝になってもよかったのだ」と。

しかしやはりそうではなかった。フランツ・カール大公は息子の希有《けう》の才能を知らなかったのだ。個と組織の調和能力である。組織というものが、個の生理を排除・圧殺する完璧な閉空間なのだということを知りながらの調整能力である。もちろんこれはもともと個などは持ち合わせてはいない大公にとってはないものねだりの能力である。

大公の息子フランツ・ヨーゼフは自分の個人的生理を王朝組織の中に封じ込める。これはフェルディナントのようにメッテルニヒ愛用の自動署名機械となることでは断じてない。自らの意思により組織に個を埋没《まいぼつ》させるのだ。そして埋没させた個が、組織という器の中でゆっくり醸成していくのを辛抱強く待ち、いつのまにか個と組織が文目《あやめ》もわかたぬ状態にするのである。こうしてヨーゼフに一種宗教的雰囲気が備わる。成り上がりものには決してできない芸当である。組織が危機に瀕した十九世紀末、組織をなんとか維持するにはこれしか他に方策はなかったのだ。

ハプスブルク王朝、イコール、フランツ・ヨーゼフ一世。この等式によってこそ王朝はその崩壊を一年延ばしにやってこられたのである。フランツ・ヨーゼフ一世の数々の失政は、彼が独創的なまでに非独創に徹することで王朝を維持し続けたことに比べれば、ものの数ではないのである。六十八年の長きにわたって在位したことだけでも希有《けう》な能力の持ち主といわなければならない。まさに大公の息子ヨーゼフは、皇帝の中の皇帝であったのである。

それゆえ、フランツ・カール大公は「いちばん上の息子さんはなにをしていらっしゃる？」と聞かれた時は、堂々と「皇帝ですよ」と答えればよいのだ。そして「貴方様ご自身は？」と問われたら、「私は皇帝になれぬべくしてなれませんでした」と少し微笑《ほほえ》んでみるのがいちばんふさわしいのである。

マクシミリアン大公①

ハプスブルク家に乾杯！

ウィーンの市電三十八番、俗にいうホイリゲ（ワイン酒場）・エクスプレスに乗り、終点ショッテン・トーアで降りる。地下停車場から階段を上り、大学通りに出ると左手にウィーン大学本館が前面に迫《せ》り出してくる。言うまでもなく十九世紀後半のウィーン市再開発時の建物である。様式をルネッサンスにしたのは大学を自由主義文化のシンボルとせんがための由。ちなみに設計者は、H・フェルステル。

さて右手にちょっとした公園を控えて、ヴォティーフ教会が天高く屹立《きつりつ》している。ゴチック様式。奇妙なことに設計は大学と同じくフェルステルによる。たしかこの教会はオーストリア皇帝にたいする国民の忠誠心の記念碑だった筈である。設計者にとってそんなことはどうでもよいのか。こんなことを思いながら、教会横手の大学通りに面したカフェ・マクシミリアンに入っていく。店内は大学本館、新館から掃《は》き出されてきた学生でほぼ満席である。ウエートレスは明らかにイタリア系と思われる黒髪の目のきりっとしたなかなかの美人だ。他にはどうということのない喫茶店だが、ともかく腰をおろし本を読む。ちょうど、次のくだりが目に入る。

「兄の安否を気づかう余り、憔悴《しょうすい》し、目を赤く腫《は》らせフェルディナント・マクシミリアンは兄の病床に近づいた。すると兄は冷やかな、ほとんど敵意に満ちた口ぶりで、なぜ許しもなく自分の任務を離れたのだ、とマクシミリアンを問い詰めた」(J・ハスリプ『マクシミリアン』)。むごい仕打ちだ。

一八五三年二月、時のオーストリア皇帝フランツ・ヨーゼフ一世はハンガリーの一民族主義者によるテロに遭《あ》い瀕死《ひんし》の病床にあった。ヨーゼフ帝はこの時いまだ独身、したがって当然ながら嗣子《しし》はいない。皇位継承順位筆頭者は、帝の二歳下の弟フェルディナント・マクシミリアン大公となる。大公はオーストリア海軍の軍務につき任地イタリアにいなければならない。それが我が病床の近くにいる。兄帝の目には急を聞いて駆けつけてきた弟マクシミリアンが己が帝位を狙うものに見えたのだろう。やがて病癒《い》えた兄帝は、このとんでもない邪推に恥じ入ることになる。弟は兄帝の快癒慶祝のための教会建立を全国民に呼びかける。醵金《きょきん》はたちまちのうちの予想を上まわって集まり、ヴォティーフ教会建立の運びとなる。そして兄弟間のわだかまりは一瞬氷解したかに見えた。

　実際には、この教会建立の話の裏にはもっとはるかに複雑な現実が絡《から》んでいる。ウィーンをぐるりと囲んでいた市壁の取り壊しによって生じた広大な環状空間を舞台にした都市再開発には、一八四八年の革命騒ぎから間もないオーストリアのこみ入った政治情勢が色濃く反映している。それは王党派、自由主義派等々の諸派入り乱れての空き地争奪戦に始まり、終わっている。その中でヴォティーフ教会は「サーベルと宗教との支配」のシンボルとして建立されたのである。

　だが、この辺のことについての綿密な考証は他に譲るとしよう。ヴォティーフ教会を通り、カフェ・マクシミリアンに腰をおろしたからには先の歴史よりもやま話の続きを聞きたくなるのが人情というものだ。ここに話の行き着く先は、教会建立の発起人でありながら、ついにその落成を見ずして、一八六七年六月十九日、遠き新世界メキシコで非業《ひごう》の死を遂げたメキシコ皇帝マクシミリアン一世の生涯に決まったようだ。

　フェルディナント・マクシミリアンはオーストリア大公フランツ・カールとその妻ゾフィー大公妃の第二子として一八三二年七月六日に誕生する。兄ヨーゼフに遅れること二年である。このわずか二年という絶対的時間が後にマクシミリアンの心理に深い亀裂を与えることになる。二年遅れて生まれてきたがために自分はオーストリアという小宇宙に天翔《あまが》けることができずにこのまま朽《く》ち果てるのか？　この自問は執拗《しつよう》に繰り返され、マクシミリアンの心にみるみるうちに大きな空洞をあける。

兄ヨーゼフは一八四八年、伯父帝フェルディナント一世の退位を承けて皇帝に即位する。その在位期間は実に六十八年に及び、一九一六年、その死をもってようやく終わる。ヨーゼフ帝の治世下、オーストリア大公の称号をもつ公達は約五十人。そのほとんどは皇位継承順位から見て、皇帝になる気遣いなど全くない、いわゆる部屋住みの身である。これら部屋住み皇子たちは、幾人かの例外を除き、こと細かに定められたハプスブルク家家憲の枠内で、それぞれアンニュイ、逸楽に漬かりながら、そこそこの人生を終えている。否、終えるしかない。しかし皇帝の次弟となるとおのずから事情は異なってくる。アンニュイに浸りきるには皇帝との距離が近すぎる。それは指《し》呼《こ》の間だ。しかしそれでいて、どうあがいても乗り越えることのできない距離だ。野心を抱けばたちまち蛇の生殺しにあう。

マクシミリアンは一八五七年、ベルギー王女を妻とする。花嫁シャルロッテの父とはいわずと知れたベルギー王レオポルト一世。小が大を食らいながら、弱小ザクセン・コーブルク家を一代でヨーロッパ有数の王家に押し上げた権謀術数の人である。それは「他の奴らには戦争をさせとけ。オーストリアよ、汝は幸せな結婚をするがよい！」というハプスブルク家のお家芸のお株を奪った巧みな結婚政策によるものであった。

レオポルト一世はこのたびの婿選びについて、姪にあたるイギリスのビクトリア女王に、なにも一山いくらのオーストリア大公を選ぶこともなかろうに、叔父上らしくもない、と皮肉られている。むろん、王とて、娘婿をむざむざとこのまま単なるオーストリア大公で終わらせる気は毛頭ない。父の気質をそっくり受け継いだ誇り高きプリンセス、シャルロッテもせっせと亭主マクシミリアンの尻を叩く。なぜこの私が、ヴィッテルスバハ家の傍流の出のくせに、少しばかし顔がいいからといって、オーストリア皇妃におさまっているあの無礼な女、エリザベトの風下に立たねばならないのよ！　まさかこんなはすっぱな言い方はしないだろうが、シャルロッテの夫の兄嫁、とはすなわち皇妃にたいする敵愾心《てきがいしん》は相当なものだったらしい。女の戦いだ。

こうして女房、岳父にせっつかれながらマクシミリアンは「陛下」と呼ばれぬ身をかこつ。しかしハプスブルク家嫡流意識だけをよすがに、いまどき王権神授を夢見るこの希代のお人好しは当然ながら、政治を知らぬ、非情を知らぬ、決断を知らぬ、すなわち人間を知らない。知らないがゆえに、折しもフランス皇帝ナポレオン三世が投げ与えた「メキシコ皇帝」という餌《えさ》に飛びつくことになる。そしてそのあげく、銃殺

マクシミリアン大公

されることになる。

革命後、いまだ不安定な共和国メキシコに無理やり帝国を創建し、皇帝にマクシミリアンを据えるというのは、当時、自分の威信低下に脅え、酒に、女に、麻薬に溺《おぼ》れたナポレオン三世の伸《の》るか反《そ》るかの大博打《ばくち》であったが、決して伸《の》ることのないのは誰の目にも明らかであった。しかしそれにしてもなぜマクシミリアンに白羽の矢が立ったのか。依然として謎のままだ。マクシミリアンの出生にまつわる、ある奇妙な噂を根拠にしたまことしやかな説も流れている……。

ここで突然、本を閉じる。そして思う。あのウィーン宮廷に流れた妙な噂一つをとってみてもハプスブルク家とはよもやま話の宝庫だ。とりわけフランツ・ヨーゼフ一世治世下のそれは面白い。マクシミリアンに限らない。皇籍を勝手に離脱し、南米はホーン岬に散ったヨハン・サルバートル大公、情死した皇太子ルドルフ、その娘の「赤い大公妃」エリザベト・マリー等々、興趣に尽きない。

これらは、近代的自我の翳《かげ》りなど一かけらも見せずに、ひたすら凶暴なエネルギーの赴くままに陰謀、暗殺、裏切り、姦通を繰り返したイタリア・ルネッサンスの蕩児《とうじ》たちの胸のすくような物語とは違う。武門を離れて久しい公達の、時として起こる自分のアイデンティティーを求めた、あまりカラッとしない物語である。

別にうじうじした話が好きというのではないが、これらに魅《ひ》かれるのは、当方、いつもなにかしらの屈託《くったく》を抱え込んでいるせいなのだろうか。だがそれはここでは問うまい。幸いにウィーンは、これらの歴史よもやま話を満載した資料には事欠かない。それらを読み進むうちに先の問いはおのずと答えが与えられるだろう。いまは面白がって読むだけでいい。もっともこれでは、ホーフマンスタール研究と銘打ってウィーンに来てみたものの、ハプスブルク家に足をすくわれたも同然か。それもいいだろう。

「カフェ・マクシミリアン」を出る。午後七時だ。ウィーンの夏は黄昏《たそが》れるにはまだ早い。しかしこんな時行き先はいつも決まっている。ショッテン・ガッセにある「シュティフト・ケラー」。トイレは最上階にあるからまず用を足してから穴蔵に下りていく。赤ら顔の初老のボーイ氏は、人の顔を見るなり、いつものように注文も取らずに、白ワイン四分の一リットル入りのグラスを運んでき、片目を瞑《つむ》ってみせる。へんな奴《やつ》だ。では、取りあえずハプスブルク家に、乾杯!

マクシミリアン大公②

ハプスブルク家の厄介叔父

　叔父。父の弟である。仕事はなにをしているのかわからない。家の敷居が高いのか、めったに顔を見せない。それもそうだろう。たまに来る時は決まって金の無心である。実直な小官吏の父はぷいっと顔を横に向ける。母は露骨に嫌な顔をする。それをさらりと受け流し、いくらかの金をせしめると、叔父は少年の部屋に入ってくる。少年はこの叔父が好きだ。

　叔父は少しはインテリである。そうでなければ近所でも秀才の声が高い少年の気を牽《ひ》くことはないだろう。拗《す》ねものを気取ったその巧みな話術に少年は聞き惚《ほ》れる。文学の話なぞする。例えばロシア文学。ドストエフスキーを必要以上にくらーく、くらーく話して聞かせる。後から考えれば、大体がいい加減このうえない話であったが、当時の少年には禁断の実の味がした。つまり叔父とは、少年にとって、厳格な父によって鎖《とざ》されていた別の世界、不良の世界、大人の世界に繋《つな》がる唯一のパイプであったのだ。やがて叔父はどこか小さな会社の公金を横領し、その尻《しり》ぬぐいをさせられた父をはじめとする親戚中に見放され、祖父の二十七回忌にも招かれない。今頃、どうしているのか……。

昭和三十年くらいまでの小説、芝居、映画に登場してくる叔父とは大体がこんなふうであった。事実、こんな叔父がたくさんいたのだろう。しかし最近はあまり見かけない。親戚中の厄介者。これは例えば街中の原っぱ、近所の雷親爺《かみなりおやじ》などとともに妙に懐かしまれるものになってしまった。しかしずいぶんと勝手な懐古趣味である。当の叔父は言うかもしれない。兄貴の奴は親父の財産を独り占めにし、当主におさまりかえっている。こちらとすれば、せめてあの小生意気な甥《おい》の性根をねじ曲げてやろうと口からでまかせを喋《しゃべ》っていたが、しょせん、迫力不足。甥の奴、こちらの与太を取るところは取り、いまでは謹厳一点張りの兄貴より一段と幅のある人物よ、と褒《ほ》めそやされ、その社会的地位も兄貴をはるかに凌《しの》いでいやがる。結局、俺はあいつの嚙《か》ませ犬にすぎなかったのか。勝手に懐かしがられてたまるものか……と。

しかし、仮にこんな愚痴を肴《さかな》に安酒を飲んでいるとすれば、この叔父も相当お粗末で、親戚中から厄介視されるのも身から出た錆《さび》かもしれない。

ところが、さらに時代をさかのぼって江戸期、この厄介者とは当人の身持ちの善しあしに関係なく、生まれ落ちたその日からそうなる定めとなっていた。武家の次男、三男。称して厄介叔父という。二十石、三十石といった小身の家の厄介叔父は悲惨だ。適当な養子の口がなければ、さなきだに家計の苦しい兄の家の一隅で生涯、無為徒食を強いられる。妻、子などとは縁がない。心は荒《すさ》む。その荒んだ性欲のはけ口にされた下働きの下女は、もともと人減らしにと、近在の農家から出されてきた身。その運命を受け入れるしかない。運命とは、子ができればただちに間引き、当主一家に気を使いながら厄介叔父の世話を焼くことである（藤沢周平の小説を見よ）。

さすがに大名家の次男、三男になると話は違う。御連枝様と敬われ、屋敷、家来、妻子を与えられる。しかし、あくまでも制度としての厄介者である。藩政に口をはさむことは、いっさい許されない。野心を抱けば、たちまち兄の重臣たちに息の根を止められる。「大名の家は、譜代柱石の家来でできあがっている。家来が第一で、連枝は第二じゃ。それでなければ、大名の家は立ちませぬ」（司馬遼太郎の小説の一節）というわけである。これも悲惨といえば悲惨か。

この制度としての厄介者の源は言うまでもなく長子単一相続制にある。国のレベルでいえば、領土の広さと人口の多寡が国力をはかる唯一の尺度であった時代、男子均一相続による家領分裂は、なんとしても避けなければならなかった。かくして多くの厄介叔父が生まれ、それぞれ、砂を嚙むような人生を歩み、こう言ってはなんだが、歴史にある種の彩り《いろど》を添えることになる。

ヨーロッパの王家の歴史にもこの類の彩りには事欠かない。ヨーロッパの王家といえば私の研究領域（オーストリア文学）上、まずもってハプスブルク家に目が注がれる。このハプスブルク家が、厄介叔父を生む長子単一相続制を採り入れたのはさほど古いことではない。まずは中世。その頃はハプスブルク家もいまだ弱小、豪族に毛の生えた程度。その領地は王国というにはほど遠い。一門も容易には家督には従わない。血で血を洗うハプスブルク家の「兄弟喧嘩」がおおっぴらに行われていた。

ちなみに、農民レベルからいっても南部ドイツ（オーストリアも含む）は、北部に比して少しは地味豊かであるせいか、男子均一相続制が行われていたという。

さて、やがてハプスブルク家は十六世紀、カール五世の時、日、没することなき世界帝国を樹立する。世界帝国とは超民族国家。ハプスブルク家の運命がそれぞれの民族の運命と軌を一にしない。家領分裂もさして気にはならない。第一、分けるパイがふんだんにあった。

十八世紀、スペイン継承戦争に敗れ、スペインを失い、ハプスブルク家はオーストリア周辺に閉じ込められる（とはいってもその領地の広さはヨーロッパ王家の中で一、二を争い、領地内で少なくとも十二の言語が使われるという超民族王朝であることには変わりはなかった）。ともあれ、この頃になると王家と領民とのアイデンティティーが確立され、その領地は国としての体裁が整っていた。こうなると家領分裂はもはや許されない。カール六世（女帝マリア・テレジアの父）の時である。一七一三年、相続順位法が発布される。長子単一相続制の正式導入である。かくして、ハプスブルク家の厄介叔父が多数、生まれることになる。

この厄介叔父には「オーストリア大公」という称号が与えられる。ハプスブルク家一門の男子はオーストリア大公、女子は大公女というわけである。彼らの生活全般を、否、存在そのものを縛りつけるのは、ハプスブルク家家憲。これは一八三九年、フェルディナント一世の時初めて成文化される。慣習、しきたりが、いったん、文書化されると絶対的効力をもつことになるのは世の常である。

全六十一条にわたるこの家憲は、一門の長である皇帝の絶対的権力の源泉となる。大公たちには支払われる歳費から始まり、規定は事細かに及ぶ。大公たちは養育、教育（これには自分たちの子弟の乳母、家庭教師選定も含む）、結婚はもちろん、旅をするにもいちいち皇帝の裁可を仰がなければならない仕組みとなっている。さらに、冠婚葬祭、晩餐会での席次。いや、もう実に煩《わずら》わしい限りだ。息が詰まりそうになる。

この煩瑣《はんさ》な規定を一つ一つ几帳面に守ったのはフランツ・ヨーゼフ一世である。定められたことには私情を捨ててまで万事、忠実に従うという性癖をもったこの皇帝の在位期間は一八四八〜一九一六年。実に六十八年間に及んだ。その治世下、厄介叔父である大公は五十人にのぼる。彼らの皇位継承順位など、あってなきがごとしである。ひたすら、政治的年金生活を送るしかない。アンニュイに潰かるしかあるまい。「一山いくらのオーストリア大公」と他のヨーロッパ王家からの冷笑されるのも無理はない。

しかし考えてみれば気楽な身分である。もちろん、その気楽さに馴染《なじ》むことを潔しとしないものも何人かはいた。行動に飢えた野心家。皇帝およびその重臣から見ればまさしく厄介な存在である。しかも、それが皇帝の次弟となると、ことは剣呑《けんのん》である。

フェルディナント・マクシミリアン大公。彼は生まれるのが少し遅かった。兄フランツ・ヨーゼフ一世に遅れること二年。マクシミリアンはこの絶対的時間に鼻面《はなづら》を引きずり回されながら生き、かつ死んだ。死んだのは一八六七年六月十九日、三十五歳の時である。どこで死んだのか。旧世界ヨーロッパを遠く離れた新世界メキシコである。なぜ死んだのか。メキシコ共和政権による銃殺刑。非業の死である。しかしそれにしてもハプスブルク家のプリンス、オーストリア帝国皇弟殿下とあろうものが銃殺刑に処せられるとは。

　神に選び抜かれた家、ハプスブルク家の嫡流に生まれながら統治すること叶わぬ定めにマクシミリアンは我慢ならなかった。ハプスブルク家にふさわしく、威あって猛《たけ》からぬ真の王者として君臨したい。だが彼にはこの野心を貫く鉄の意思が欠けていた。野心は先走りし、空回りする。それが彼の悲劇の一因である。つまり、彼はメキシコ権益をめぐる十九世紀ヨーロッパ列強、メキシコ国内の共和派、保守派の争いに巻き込まれ、翻弄され、ついにはその凄《すさ》まじい戦いの血しぶきを浴び、自ら斃《たお》れたのである。それは典型的移入皇帝として旧ヨーロッパ世界からメキシコに送り込まれ、王者を演じ続けることわずか三年の後のことである。伝えられる処刑前の彼の最期の言葉。

　私はすべての人を許そう！　お願いだ、皆も私のことを許してくれたまえ！　いま流されようとする私の血がこの国の幸福に繫がらんことを望んでやまない！　メキシコ万歳！　独立万歳！

この直後、数発の銃弾が彼の体に食い込む。しかしそれにしても潔《いさぎよ》い散り際である。

これが、冷徹さに欠け、野心だけが先回りしていたがゆえに、これまで散々、周囲世界に弄《もてあそ》ばれ、押し流されてきたマクシミリアンの最期かと思われるほどである。

兄ヨーゼフに二年遅れて生まれてきたという事実に鼻面を引きずり回されてきた人生が、いまようやくにして自分の人生となったのか。神に選び抜かれた家の一員として王者を演じ続けようとしてきた演者マクシミリアンは、いま壮麗極まる死の舞台を得て、十九世紀の新・旧世界という観客を向こうに迫真の演技を見せた。その時演者は演技を超えて真の王者となったのか。それは分からない。

ところでこの迫真の演技に拍手喝采を送ったのは旧世界ヨーロッパだけであった。ハプスブルク家のプリンス、「メキシコ皇帝マクシミリアン一世銃殺さる！」というショッキングなニュースがヨーロッパを駆け巡り、人々はそれを終わりゆく十九世紀の一つの象徴として受け止めた。

一方、もう一つの観客、新世界メキシコはこの演技を臭い芝居を見せられたかのように黙殺する。メキシコ政府官許のどの歴史書を繙《ひもと》いてみてもメキシコ皇帝マクシミリアン一世の名はどこにも見当たらない。代わりにたった一行。ヨーロッパ列強の手先となってメキシコ干渉戦争に暗躍したオーストリア大公フェルディナント・マクシミリアンは、その廉《かど》で銃殺刑に処せられた、と。だとすると彼は己の死と引き換えになにも手に入れず、ハプスブルク家の厄介叔父として死んだのか。哀しい。「歴史とは所詮《しょせん》、著名な事実の羅列である」というアナトール・フランスの言を塩野七生氏は著書『レパントの海戦』で引いているが、制度が生んだ無数の厄介叔父の中で、こんな「著名な事実」を残したマクシミリアンはやはり興味深い。ちなみに私も、昔でいえば厄介叔父、三男である。

マクシミリアン大公③

皇后シャルロッテの手紙

幼い子供は真似が好きである。ゴッコ遊びに興じる。母親に、幼稚園の先生に、赤ん坊に必死になってなりきるものだ。このゴッコ遊びに夢中になっている子供をからかうのは禁物である。子供たちにしてみれば、自分たちが扮装している当のそれとは見てもらえないことほど悔しいことはないからだ。子供たちはゴッコ遊びを通して「目にしたものを、かつて一度見た時の、そして再び見た時の偶発的状況に左右されることのない持続的、本質的な所で見ようとしている」（H・G・ガダマー）からである。

ところが、この人の真似とは大人になると、ともすれば妬《ねた》み、嫉《そね》みにと歪曲することがある。ああなりたい、なれない、羨《うらや》ましい、というわけだ。もとより、真似などとても覚束《おぼつか》ない隔絶した世界にたいしては、我らは縁なき衆生《すじょう》と、煩悩は騒がない。

しかし、その社会全体のほんの一隅にすぎない雲上の世界では、真似はひときわ大きく歪曲し、ただならぬ野心となる。この野心という凶暴なエネルギーが織りなす人の浮き沈みを多くの史書が「著名な事実」として伝えている。「歴史とは所詮《しょせん》、著名な事実の羅列である」とアナトール・フランスが言ったというが（塩野七生『レパントの海戦』参照）、私はこういう歴史が好きだ。

本稿は、野心に取り憑《つ》かれたがゆえに、その後半生を奇妙な「皇后ゴッコ遊び」に興じざるを得なかった女性の物語である。皇后という地位がまったくの幻のものになったにもかかわらず、皇后を演じ続けた女性の物語である。否、演じたのではない。彼女シャルロッテは、あらゆる偶発的状況にもいっさい左右されることのない持続的、本質的な皇后の地位というものを強烈に主張し、主張することで幻の世界で皇后として君臨したのである。彼女のその揺るぎのない信念「皇后シャルロッテの手紙」を紹介するのが本稿の狙いである。

気位の高い末娘

「余は退位する他なかったのだ。なぜならかつて余の寵愛を得ることに汲々《きゅうきゅう》としていたすべてのもののうち誰一人として余に救いの手をさしのべようとはしなかったからである。余の閣僚たちはことごとく退き、余の支持者たちはこぞって余を見捨ててしまった。近衛兵たちは武器を捨て、巷《ちまた》の良心の声すら途絶えてしまったのだ」。外祖父のこの痛憤極まりない手紙をブリュッセル郊外の夏の離宮ラーカン城の朝食の席で父がいかにも素っ気なく朗読したのはシャルロッテがわずか八歳の時だった。外祖父とは「フランス人の王」であったルイ・フィリップである。この「フランスの無料小使」を自称した「市民王」は、ともに手を携《たずさ》えて歩んできたブルジョワ社会の破天荒な腐敗堕落に巻き込まれ、国を逃げることとなった。一八四八年二月のことである。

そも、祖父ルイ・フィリップが君臨したフランス七月王政とは一八三〇年の七月革命の所産である。シャルル十世を倒したこの革命は共和制の施行までにいたることはなかった。ブルボン王家は危うき所で踏みとどまり、傍流のオルレアン公ルイ・フィリップを立ててきた。銀行家をはじめとするブルジョワはこれに乗った。共和派、民衆の思惑ははずれた。つまり、祖父ルイ・フィリップとそれを取り巻くブルジョワたちは、世にいう「栄光の三日間」の激しい市街戦を戦い抜いた民衆の手から革命の成果をまんまと横取りしたというわけである。そのつけがまわってきたのが、今回の亡命騒ぎなのだろうか。

しかし、革命の横領呼ばわりといえば、父もこの七月革命の余禄《よろく》をたっぷりといただいたほうである。すなわち、こうだ。フランスでの七月革命がもたらした直接の影響の一つにベルギーの反乱がある。反乱は革命となり、ついにベルギーはオランダから独立する。パリの市街戦に刺激されたベルギーのナショナリズム勢力の勝利である。しかしこのナショナリズム勢力はまだ完全な主権を握るほどにはいたっていない。そこで彼らはヨーロッパの強大な王家と姻戚関係にあるプリンスを自国の王に迎える方策を採る。これは「あたらしい民族国家を将来にわたって維持するための保険のようなもので、こうして推戴された国王が自分の治める国の言葉を一から習い始めなければならないなどということは、二の次、三の次のことであった」(H・アンディクス)。

こうしてベルギー王国は成立する。さて国王は誰にするか？　ヨーロッパ各王家の空席待ちのプリンスの中で、格好《かっこう》な人物は？　一人浮かび上がる。大英帝国ビクトリア女王を姪《めい》にもつドイツのあるプリンス。大英帝国！　これ以上の担保はあるまい。こうして推戴されたのはザクセン・コーブルク公子レオポルト、即位してレオポルト一世。つまり、シャルロッテの父である。フランスはパリの民衆の死をも恐れぬ戦いが回りまわって父をベルギー王に即《つ》かせたというわけである。

ところで、ドイツの豆粒領主であったザクセン・コーブルク家が大英帝国と深い繫がりをもつようになったのは、父の母、つまりシャルロッテの父方の祖母アウグステ侯妃の巧みな結婚政策による。いつのまにかザクセン・コーブルク家はヨーロッパ有数の王家となり、末息子である父までがベルギー王となったのである。母親譲りの策謀家である父はアウグステ侯妃の巧みな結婚政策を踏襲する。その一つが自身の結婚であったはずである。父レオポルト一世はフランス王ルイ・フィリップの娘マリー・ルイーズを後妻に迎える。二人の間に子供は五人。第一子は死産。第二子はわずか一歳で早逝。男二人、女一人が成長する。この末の一人娘がシャルロッテである。ちなみにレオポルト一世の最初の結婚は子宝に恵まれなかった。

話をラーカン城の朝食の間に戻そう。父は素っ気なく、というより腹立たしげに祖父の手紙を読む。母は祖父の悲運を思い嗚咽《おえつ》を漏らす。しかし、どこまでも慎ましい。否、あくまでも遠慮がちにである。母は父にたいしてはいつもそうである。常に控え目で、献身的に父に仕えるのだ。それが母が「小柄な、汚れなき王妃」とベルギー国民の間に人気を博すゆえんではあるが。

ともあれ、母はこのたびの悲報にも感情を爆発させることはない。じっとこらえるだけだ。そして時折父の表情を盗み見る。これでは、まるで実家の父母の不始末により婚家に迷惑がかかることを必死に詫びる嫁の姿である。

事実、父は岳父ルイ・フィリップの弱腰に腹を立てていた。父の帝王学には退位などという惰弱《だじゃく》な言葉はどこを探してもない。彼はオルレアン家と縁を結んだことを後悔する。以後、慎重に勝ち馬を見定めねばなるまい、と思う。要するに祖父の手紙を読んでいる時、父には妻の悲しみを我が悲しみとなす気などこれっぽちもなく、ただ彼の頭にあるのは、フランス王の屈辱的退位によって塗り変えられるであろうヨーロッパの勢力地図だけであった。シャルロッテの父、ベルギー王レオポルト一世というのはこういう人だ。「老獪《ろうかい》な外交官」というのが王につけられたあだ名であるが、王自身、このあだ名を密《ひそ》かに楽しんでいたということである。

さて、こんな父母の様子を長兄ブラバント公、後のレオポルト二世は氷のような冷たい表情で見つめているだけで一言も発しない。次兄フランドル伯は祖父の悲劇を悲しみ母に温かい慰めの言葉をしきりにかけている。兄ブラバントの冷たい表情はそれだけ彼の受けた心の傷の深さを物語っているのかもしれない。

ともあれ、こうしてその時十三歳、十一歳という多感な少年だった兄弟二人はそれぞれの仕方で母の悲しみを悲しんだのである。そして、やがて二人の兄弟はそれぞれの仕方で父に背を向けることになる。というのも父は岳父ルイ・フィリップ王の退位、亡命を境に献身的な母を蔑《ないがし》ろにし、寝室から遠ざけ、かねてからの愛妾マダム・マイヤーを王妃同然に扱うようになるからである。

さて、末娘シャルロッテは。シャルロッテはいわゆる父親っ子である。というより、この父と娘は似たもの親子であった。シャルロッテの母は娘について「あの娘は父親そっくりに気位が高く、わがままでもあります」と書いている。一方、父も娘についてて「シャルロッテはあれの二人の兄よりもはるかに気が利き、あれが男の子でないことが、とても残念でなりません」とか、「シャルロッテはあれの兄たちよりずっと知的であります」などと書いている。

しかし、だからといってシャルロッテに母を思う気持ちがないわけではない。母の悲しみを自分の悲しみとし、母とともに泣いた。しかし、祖父の退位、亡命によって堰《せき》を切られた母の悲しみの源流が長年にわたる父の不貞、裏切りにあるということにシャルロッテは気づかない。そしてその源流が自分の体の隅々まで駆け巡るにまかせはするが、それが裡《うち》を突き抜け、奔流となって表情に現れることは必死になって抑える母の悲しさ、強靭《きょうじん》さには気づかない。気づくにはいかにも幼すぎたのだ。

母の悲しみは祖父の退位、亡命とだけ真っすぐに繋がっているのだ、とシャルロッテが思うのも無理はない。とすると母を悲しませたのは祖父なのだ。シャルロッテの幼い胸の裡《うち》に王権を死守できなかった祖父のふがいなさへの怒りのようなものがこみ上げてくるのだ。「君主たるもの決して退位などしてはならない！」。爾来《じらい》、父親譲りの野心家シャルロッテが、これを自分の生涯のクレド（信条）としたかどうかはわからない。それこそ幼すぎるというものだ。ただし、祖父ルイ・フィリップのこの手紙が彼女にとって終生忘れ得ぬものとなったのは確かであろう。

その祖父が一八五〇年夏、亡命先のイギリスで亡くなった。かつてフランス王として君臨した人物の亡命先での死去。孤城落日の悲哀を存分に味わったことであろう。祖父の死の知らせを聞き、母は床に就いてしまった。そして母はそのまま床上げすることなく、同年十月十日みまかった。ある伝記作者によると、母マリー・ルィーズは「最後まで、彼女の愛になに一つ答えようとしなかった夫のことを、そして子供たちのことを、とりわけ、一人で残す娘のことを思いつつ死んだのである」（ジョーン・ハスリプ）。シャルロッテ、十歳の時である。

一人残された娘を不憫《ふびん》に思い、父はますますシャルロッテを可愛がる。そして父と二人の兄との関係はもはや修復不可能なほどにこじれきっている。父が母の死を境に、いまさら愛妾マダム・マイヤーを遠ざけたところで、深い傷を受けた多感な二人の少年がそれで父に歩み寄ることなどあり得なかった。こうして、亡き母が生前、言っていたように「シャルロッテは父親の寵児となる」。

さて、この妻に先だたれ、二人の息子に背《そむ》かれた父と、まだあどけなさが残る、母を失った娘とはなにを語らい自分たちの寂しさを紛らせたのだろうか。ビスマルクが「可能性の術である」と言ったとされている「政治」がこの父娘の間の主な話題であった。否、話題すべてが政治であったといってもよいだろう。父はシャルロッテ相手に政治のことをひたすら話す。君主としての責任。治世の要諦《ようてい》、諸外国との駆け引き。ヨーロッパの勢力地図。ヨーロッパの火薬庫バルカン情勢。ロシアの動向。新世界アメリカの状況。ヨーロッパ列強の権益が複雑に入り組んでいる中南米の事情……。

父は、娘がやがてどこかのプリンスと結婚し、侯妃、公妃あるいは王妃、皇后となる時のための帝王学を授けるのである。そして前にも述べたようにこの帝王学には退位などという惰弱な言葉はどこを探しても見あたらない。それがシャルロッテの後年の悲劇の引き金となるとは、この時父娘は気づきようもない。

やがて、シャルロッテは皇后となった。しかし、その前に彼女はオーストリア大公妃という階梯を踏まねばならなかった。すなわち、シャルロッテは一八五七年七月、オーストリア大公フェルディナント・マクシミリアンと結婚したのだ。シャルロッテはいつもやや青みがかった髪の毛を真ん中からきれいに分けて、背筋をいつもピンと伸ばし、見てて気持ちのよい姿勢をしている。顔立ちはカメオのようにすっきりとし

ヨーロッパ一美しいプリンセス？　シャルロッテ

ている。目が大きく、きらきらと光っている。父王レオポルト一世に言わせると、彼女は「ヨーロッパ一美しいプリンセス」ということになる。その言の当否はともあれ、シャルロッテが不思議な魅力を湛《たた》えた十七歳の乙女に成長したことは間違いない。

一方、相手のマクシミリアン。「口元と顎《あご》を除けば、大公はたいへんな美形におわし、この些細《ささい》な欠点も大公の闊達《かったつ》さと優雅な身のこなしにより全く気になりません」とはイギリスのビクトリア女王によるマクシミリアン評である。「口元と顎」とは、いうまでもなくハプスブルク家の人々の顔の一大特徴で、それをわざわざ「些細な欠点」と称し、あげつらうのだから女王のマクシミリアン評はいま一つというところか。あるいはマクシミリアン個人を超えて女王のハプスブルク家嫌いがはしなくもこぼれおちたところか。

しかし、女王にどう評価されようとシャルロッテはこのマクシミリアンにぞっこんまいってしまったようである。その時マクシミリアンは二十五歳になったばかりである。マクシミリアンとシャルロッテ、まずはお似合いのカップルというところか。そして、当時の政略結婚にしては珍しくたがいに魅かれる所多く、なによりも二人を強く結び付けたのはたがいの心の中にたぎる政治的野心という厄介な虫であった。

ところでオーストリア大公とはハプスブルク家一門の子弟に漏れなく与えられる称

号である。漏れなく与えられるのだからこの称号をもつものは掃いて捨てるほどいる。オーストリア大公と名前だけは大仰《おおぎょう》だが、「一山いくらの、オーストリア大公」などと口さがない連中は陰口を叩いている。もちろん、シャルロッテの結婚相手マクシミリアンは、そんじょそこらのオーストリア大公ではない。仮にもベルギー王女の結婚相手である。それにふさわしき大公でなければ野心家の父レオポルト一世、それにシャルロッテ自身が承知しないだろう。

マクシミリアンはハプスブルク家嫡流のオーストリア大公である。つまり、オーストリア帝国皇帝陛下フランツ・ヨーゼフ一世のすぐ下の弟君である。兄皇帝とはわずか二歳違いのマクシミリアンはまかり間違えば自らヨーロッパ一の大国に君臨していたのかもしれないし、今後、そうならないとも限らないのである。シャルロッテと結婚した時点では、兄夫婦にはまだ子供がいなかったので、マクシミリアンはオーストリア皇位継承順位筆頭者であったのである。もっとも、この継承順位は兄夫婦に男の子が生まれるたびに一つずつ下がっていくという不安定なものではあったが。

先に書いたようにシャルロッテはオーストリア大公妃から皇后に上りつめた。一八六四年のことである。これは彼女の義兄フランツ・ヨーゼフ一世になにか不幸あってのことなのか。否、断じてそうではない。なるほど、義兄フランツ・ヨーゼフ一世は、やがて生まれた皇太子ルドルフが長じて情死事件を起こす、最愛の妻が暗殺される、さらには死んだルドルフの代わりに皇太子に据えた甥フェルディナントがその妃ともども暗殺される、という数々の家庭の不幸に見舞われることになるが、彼自身はその後、数十年にわたってオーストリア帝国に君臨し、みまかったのは一九一六年のことである。

「いま夫はほとんど仕事がありませんので、時間の大部分を私たちの居城の最後の仕上げについやしています。(略)私たちは、いまイストリアの海岸線をヨットで回るプランを練っています。そうでもしなければ私たち、いまのありあまる暇をつかいこなせそうもありませんもの」とは、結婚一年後のシャルロッテがベルギーにいるかつての自分の養育係に宛てた手紙である。つまりシャルロッテの夫マクシミリアンはオーストリアにおいては全くの出番なし、完全な政治的年金生活を送ることを強いられるのである。ともかく二人は無聊《ぶりょう》である。そして、その無聊を慰めたであろう子宝に二人はついに恵まれなかった。その代わりマクシミリアンを死に急がせ、シャルロッテを現《うつつ》と幻のあわいの中に生き抜かせることになった悲劇が二人を待ち受けていた。つまり、義兄フランツ・ヨーゼフ一世を襲った家庭の不幸のうち真っ先にやってきたのは、ほかならぬマクシミリアンの早逝であったのである。

一八六四年四月、マクシミリアンはメキシコ皇帝に即位する。兄皇帝にわずか二年遅れて生まれたがゆえにオーストリアでは羽搏《はばた》くことができない。このどうしようもない事実に、日々、魂が食い破られていくマクシミリアン。そしてそのマクシミリアン以上に野心に憑かれたシャルロッテ。二人はヨーロッパを離れ新世界メキシコに赴く。しかもマクシミリアンは兄に強要されオーストリア帝国皇帝継承権を放棄したうえでのメキシコ行きである。なにがなんでも新しく得た地位を死守せねばならない。二十数年前、祖父の退位が引き起こした母の悲劇を目の当たりにしたことのあるシャルロッテはこの思いひとしおである。彼女は皇后の座にしがみつく。これを守るためとあらば、単身敵地に赴きもする。ともすれば、動揺しがちな夫を励まし、尻を叩く、諫《いさ》めの手紙も書く。

さて、皇位継承権と引き換えに得たメキシコ皇帝の座。座りごこちは恐ろしく悪い。メキシコ。数百年にわたるスペインの徹底した収奪にあえぎ、ようやくその軛《くびき》から脱したかと思うと、わずか四十数年間で大統領が四十人代わるという途方もない内戦に陥《おちい》る。王党派、共和派、保守派、リベラル派、僧侶階級、下層階級、連邦主義派、中央集権主義派等々が入り乱れて、血みどろの闘いを繰り広げている。

その間、錫《すず》などの豊富な鉱山の採掘権を始めとするさまざまな権益を内戦の戦費調達のためヨーロッパ列強に売り飛ばす。果ては、カリファルニア、アリゾナ、ニュー・メキシコという領土すら、お隣の強国アメリカ合衆国に売り飛ばす始末である。そしてここまで列強の権益が張りめぐらされると、メキシコ内戦は立派な国際問題となる。かくして列強による強盗にも似たメキシコ干渉が始まる。列強のうちいちばん熱心なのがナポレオン三世が君臨するフランス帝国である。

メキシコに新しい帝国を創建し、ヨーロッパのどこかのプリンスを皇帝に据える、というメキシコ保守派の一部が勝手に夢想したプランにナポレオン三世は飛びついた。国民の目を絶えず対外問題に向けさせ、フランス愛国主義を煽《あお》り、もって国内における自分の不安定な基盤を隠蔽する、というのがナポレオン三世の常套《じょうとう》手段である。しかし、それにしても干渉をするに事欠いて、帝国を新しく創建するとはやることが派手である。フランスと共同歩調を取っていたイギリス、スペインは一斉に手を引く。曰《いわ》く、あまりにも馬鹿げた計画である、と。

南北戦争中のアメリカも、このフランスの暴挙にたいし、かつてのモンロー・ドクトリンを持ち出し、フランスに圧力をかける。そして、帝国創建を機にまがりなりにも一本にまとまった共和派たちはマクシミリアン帝国に執拗なゲリラ戦を仕掛ける。その戦費の一部はアメリカ合衆国の援助による。

こんな座ればたちまち引っくり返ってしまいそうな皇帝の座にマクシミリアンがいくらかの逡巡《しゅんじゅん》の末、ついに飛びついてしまった裏には妻のシャルロッテの影響が大いに力あずかっている。「老獪な外交官」を自称しているシャルロッテの父レオポルト一世も今度ばかりは娘可愛さのあまり、判断を誤り、娘夫婦を励まし、そして餞別《せんべつ》代わりにとベルギー義勇軍までつけて、二人を死地に赴かせてしまったのである。

ある伝記作者はこんなシャルロッテに関する次のようなエピソードを紹介している。マクシミリアンとシャルロッテはメキシコに赴く前にロンドンを訪れたシャルロッテの祖父、退位王ルイ・フィリップの寡婦マリー・メアリーを訪問する。彼女は孫娘夫婦が暇乞《いとまご》いを告げた時、マクシミリアンに向かって突然、「あなた方は、結局は身を滅ぼすことになるでしょう」と叫びだす。狂女カッサンドラさながらの、この祖母の不吉な予言にマクシミリアンはたじろぎ、果ては涙が滂沱《ぼうだ》と流れ出る。しかし、シャルロッテは顔色一つ変えず平然としていたという。いかにもシャルロッテらしい。この場に同席していたある人物は後にこう感想を漏らしている。「こんな場合、普通は御婦人が涙を見せるものですが、この時は殿方が涙を流しました」。

マクシミリアンとシャルロッテはメキシコに赴いた。二人は忠誠を誓う自前の軍隊をもつでもない。膝下《しっか》に優秀な官僚組織があるわけでもない。二人は典型的な傀儡《かいらい》政権としてまるでヘリコプターから降下するようにメキシコ皇帝、皇后の座に降りたのである。となると頼りはフランスである。しかし、そのフランスは、ことが思ったように運ばないのを見て取ると、たちまち腰がぐらついてくる。ナポレオン三世は晴天の時マクシミリアンとシャルロッテに無理やり貸した傘を土砂降りになるとたちまち二人から取り上げようとしたのだ。フランス軍の撤退が始まる。

こうなると、いかに野心家といえどもその野心を貫く鉄の意思に欠けているマクシミリアンは激しく動揺する。反皇帝軍のゲリラ組織は首都メキシコ・シティーのすぐ近くまで手を伸ばしてきている。退位して、祖国で静かな余生を送ろう、とマクシミリアンは思う。これにたいして、今のところマクシミリアン以外にこれといった玉をもたないメキシコ保守派は猛然と反発する。マクシミリアンは祖国に帰れば、それでいいかもしれない。しかし、我々には共和派による処刑しか残っていない。なんとしても退位を思い止めねばならぬ、と。

しかしマクシミリアンの退位にいちばん激しく抵抗したのは妻シャルロッテである。彼女はメキシコの難局打開の最後の切り札として国内の聖職者階級との和解を提唱する。そして、ことをスムーズに運ぶべく、ローマに出向き、法王と会見することを計画、さらにフランスにも出掛け、ナポレオン三世にいま一度の援助を要請することにした。

これだけの難事を一人で切り抜けんと、シャルロッテは単身ヨーロッパに出かけることにする。彼女にとって気がかりなのは、メキシコに一人留まる夫マクシミリアンが弱気の虫に取り憑《っ》かれ、退位のことを口走りはしないかということである。シャルロッテはメキシコを出る時、長文の手紙を夫に残した。これが「皇后シャルロッテの手紙」である。以下、引いてみる。

シャルロッテの手紙

フランスのシャルル十世、それに私自身の祖父は自ら退位したばかりに自滅の道を歩みました。この悲劇は決して繰り返されてはなりません。

退位するということは、すなわち自らを有罪であると認めることであり、自分の無能さを満天下にさらすことであります。こんなことは老醜をさらけ出している人物、あるいは間抜けな人物にこそふさわしいことでございましょう。ちょうど、御歳三十四歳と男盛りであられ花も実もある陛下が取るべき道では決してございません。王権とはこの世の中の最も神聖なる財産であり、玉座とは警官隊に包囲されたからといって集会場からこっそり逃げるようにして捨て去るものでは決してありません。いったん、一国民の運命を我が手に引き受けたからには、すべて自らの責任でことに当たらなければなりません。もはや、その国民を捨てる自由などはないのです。退位というものが誤ち以外のなにか、あるいは怯懦《きょうだ》の産物以外のなにかであるような場合など私にはとても想像できません。

かつて、ルイ太陽王は、ある戦いの最中、自分を捕らえようとしたイギリス兵にこうおおせになりました。『我が友よ、王たるもの、たとえ敗れようとも捕らわれの身となるわけにはいかぬのだ』と。そうですとも、王たるもの、決して縛についてはならないのです。王がおります限り王国は存在するのです。たとえ六フィート平方足らずの領地しか残っていないとしてもです。陛下にお金がないということはなんら納得すべき口実にもなりません。お金がなければ御自身の信用で調達なさいませ。信用は勝利により得られます。そして勝利とは獲ち取るものでございます。

たとえ、信用、勝利に恵まれなくても、なんとか切り抜けることができるのです。生きて生き抜き、御自身に絶望しなければよろしいのです。いったん、我が身に引き受け、可能であると見做《みな》したことについて、後になってから、やっぱり駄目だったというようでは、誰からも信用されないことでしょう。国民の幸せを一心に願い、そのためには自分が邪魔になる、そう思えばこそ退位するのだ、とのおっしゃりようはまさしく御自分の顔を御自分で殴りつけることとなんらの変わりがございません。これ以上の虚偽がございましょうか。メキシコ国民にとって陛下御自身が未来永劫にわたって唯一の救いであるのですから。

結論はこうです。つまり、帝政はメキシコを救う唯一の手段であります。すべてはメキシコを救うために行わなければなりません。誓いとお言葉によってその義務が課せられたのでございます。そこからお逃げになることは一切叶《かな》いません。この困難な事態はいつものようにやがて突破できるのです。ですから帝政はなんとしても維持されなければなりません。必要とあらば、これに邪魔立てするあらゆるものに敢然と立ち向かわなければなりません。敵の前でも御自分がお立ちになっている場所を決して去ろうとなさらないお方がなにゆえ、玉座をお捨てになることがありましょうや。中世の王たちは、自分の国を引き渡す前に、少なくとも敵が国を奪いにやってくるまでも堪《こた》えようとしました。退位などという考えは、君主たちが、かつて苦難の日々、馬で駆け巡っていたことをすっかり忘れてしまってから生まれた考えなのです。

我が国においては内戦というものはもはや、存在いたしません。なぜならファレス（共和派政府の大統領）の任期はとうに切れているからです。こんな敵にどうして席を譲らなければならないのでしょうか。ここはカジノと違うのです。間違っても胴元はつぶれたなどとおっしゃってはなりませぬ。あるいは茶番劇は終わった、明かりを点《つ》けろなどとおっしゃってもなりません。こんなことはハプスブルク家の皇子にはふさわしからぬことであります。それだけではありません。フランスにしてみても、またたとえこの芝居をともに観劇し、参加するよう呼ばれたにすぎないフランス軍にしても、これではとても間尺に合うというものではありません。

陛下御自身はこうおっしゃりたいのかもしれません。すなわち、一体、パゼーヌ元帥（フランスのメキシコ派遣軍の総司令官）は来年まで誰と一緒にここに留まるのか。これこそが、かつてジュール・ファーブル（フランスの急進主義者）がドン・キホーテについて語った言葉に立ち返る理由である。我々はまさしく、ドン・キホーテの役を演じているのである。そして崇高さとは一歩間違えば滑稽《こっけい》となるのである。文化使節として、救世主として、再生主としてメキシコに来てはみたものの、ここメキシコには教すべきものも、救うべきものも、再生すべきものもなにもない。だからいまこそメキシコを引き払うのである。このことはすべて、いまなお文化の国として認知されているフランスとの了解の下で行われるのである、と。

さらに陛下はついでにこうおっしゃりたいのでしょう。これは誰が見ても馬鹿げた企てであった、と。

こんな戯《ざ》れ言《ごと》はどうか海の彼方でたんとおっしゃってください。ですが、ここメキシコではまかり間違っても、こんな世迷い言は一言もお漏らしにならぬように。プライベートには誰彼とこんなおふざけもできましょうが、国家を玩《もてあそ》ぶことは断じて許されません。神が鉄槌《てっつい》をお加えになります……。

この「皇后シャルロッテの手紙」を紹介したくて本文は長々とここまでシャルロッテの足跡を追ってきたわけだが、いざ、ここで手紙を引用してみると、いかなる注釈もいらざる賢《さか》しらに見えて、色あせてくる。鬼気迫るというのはこういうことをいうのだろう。なんともすさまじい限りである。このシャルロッテの背水の姿勢の強靭《きょうじん》さにあってはマクシミリアンはひとたまりもない。退位、そして故郷オーストリアに隠遁。

こんな曖昧《あいまい》な世界に己の行跡を韜晦《とうかい》させよう、とも思うマクシミリアンは、ゼウスの操る落雷もかくやと思わせるこのシャルロッテのすさまじいエネルギーの放電に一瞬にして金縛りになる。一歩も動けない。その動けぬマクシミリアンの傍《かたわ》らを退位のタイミングはするりと滑っていく。そして残された道は破滅の道以外になくなる。

しかし、この手紙の中で見せたシャルロッテの背水の姿勢はいかにも強すぎた。とても無傷ではすまされない。彼女はゼウスと違って、自分の体内のありったけのエネルギーを放電した。やがて彼女は生ける屍《しかばね》となり果てることになる。

「皇后陛下、御不例ニゴザイマス」というヨーロッパからの電報がメキシコのマクシミリアンのもとに届いたのはシャルロッテが出発してから四カ月経《た》ったある日のことであった。その間、シャルロッテの抱えていた重い任務はことごとく不調に終わっている。

さて、電報は次のように追伸している。「御安心下サイ。現在、皇后陛下ハ維納《ウィーン》ノ名医リーデル博士ノ適切ナル治療ニヨリ危機ヲ脱セラレ、向後、御回復ノ運ビトナラレルコトデショウ」。電報を受け取ったマクシミリアンは、最近自分の侍医となったバッシュ博士に問い合わせる。「博士はウィーンのリーデル博士という御仁を御存じか」と。電報のことなどつゆ知らぬ博士は「はい、陛下。リーデル博士とはウィーン瘋癲《ふうてん》病院院長として、これまで数多の精神、闇に迷う人々の治療にあたられてこられた、ヨーロッパに隠れもなき名医でございます」と、即座に答える。

シャルロッテは精神を病んだのである。ローマのヴァチカン宮殿での数々の奇行をはじめとして、この後のシャルロッテについての描写は多くの伝記作者が筆を競いあっている。しかし、「皇后シャルロッテの手紙」を紹介することを主眼とした本文は、それはシャルロッテがこの手紙を書き終えてからしばらくのことであるという事実だけを記すにとどめる。ただ、後日談を書いておく。

この出来事の後、半年あまりしてマクシミリアンは共和派に敗れ、一八六七年六月十九日、メキシコ中央部の街ケレタロで銃殺され、マクシミリアン帝国はあっけなく瓦解する。精神、闇にさすらうシャルロッテは当然このことを知らない。彼女はその後、夫の実家ハプスブルク家から冷たく扱われ、ついに、嫁入りの際に持ってきた持参金ともども、ベルギー王家に戻される。その時、父レオポルト一世はすでに亡く、兄ブラバント公がレオポルト二世として国を治めていた。シャルロッテはベルギーのボウッフオウト城で軟禁生活を送ることになる。その後六十年近く精神が闇に包まれたままとなる。

一九二七年一月十九日午前七時、シャルロッテは同城で死んだ。享年八十七歳。彼女は死の直前まで、夫マクシミリアンが皇帝として君臨するメキシコ帝国を幻視し続けたという。そして、体調がよくなり次第、皇后としてメキシコに帰る日を待ちわびつつ死んだという。遺体はマクシミリアンの隣りに眠ることなく、ラーカン城内にある彼女の母マリー・ルイーゼの墓の隣に葬られた。

マクシミリアン大公④

マクシミリアンとグリルパルツァー

悲劇的な人生を送ったプリンス、オーストリア大公フェルディナント・マクシミリアン。母親譲りの野心が彼の身を滅ぼした。たった二つ違いの実の兄が時のオーストリア皇帝フランツ・ヨーゼフ一世としてハプスブルク家一門の戴《いただき》にいるという事実がマクシミリアンの魂を日々、喰い破る。たまらずマクシミリアンは故郷オーストリアを「昨日の世界」に捨て、新世界メキシコへと赴く。しかし、オーストリア帝国皇位継承権を放棄することで手に入れたメキシコ皇帝という地位はあまりにも敢《あ》え無いものであった。

革命、それに続く内戦に疲弊しきったメキシコ。こんなメキシコに張りめぐらされたヨーロッパ列強の権益、とりわけ、ナポレオン三世の統治するフランス帝国の権益を保護すべく送り込まれた典型的な移入皇帝、傀儡《かいらい》皇帝である。メキシコ国内の共和派のゲリラ戦に手を焼き、自前の軍隊一つ持てるでもない。やがてナポレオンにも見放され、共和派に捕らえられ、「ヨーロッパ列強の手先となってメキシコ干渉戦争に暗躍した廉《かど》」で銃殺刑に処せられる。メキシコ皇帝在位わずか三年のことである。マクシミリアン、享年三十五歳。

このマクシミリアンと当代のオーストリア最大の劇作家フランツ・グリルパルツァーのちょっとした交流は意外に知られていない。交流はマクシミリアンのオーストリア大公時代、そして晩年のメキシコ皇帝時代と続き、終わる。本稿はこの交流についで少し語ることになる。

もちろん、ハプスブルク家のプリンスと一介の劇作家との交流であるから、そう簡単に生まれるものではない。プリンス側からの積極的な働きかけがなければ、交流などできるものではない。とすればまず、プリンスの劇作家への一方的な礼賛があったと考えられる。事実あった。それはプリンスが劇作家に送った熱烈なファンレターであった。こんなファンレターを書くぐらいだからプリンスも殊《こと》のほか文学が好きだということになる。二人の交流を見る前にマクシミリアンの文学好きを見てみよう。

一八五四年よりオーストリア帝国印刷所から金文字の背表紙という豪華な装丁の著作集全七巻が逐次、刊行された。タイトルは『私の生涯より』とある。内容は数多《あまた》の詩、アフォリズムが約半分、残り半分が旅日記という構成になっている。それにしても全七巻。寡作な著者ではない。ところがその著者が匿名ときている。しかも、この著作集はいわゆる私家版であり、これを手にしたのはごく限られた人しかいない。

もっとも匿名といっても、ちょっと序文を読めば著者がフェルディナント・マクシミリアン大公であるということがたちどころに分かるという仕組みになっている。それを一応匿名の形をとったのは著者の政治的立場を慮《おもんぱか》ってのことである。なにしろオーストリア帝国皇帝の弟殿下の著作である。そう軽々しく広く江湖に知らしめるわけにはいかない。好むと好まざるとにかかわらず政治的反響を呼ぶ。

当時のヨーロッパは、列強がありとあらゆる権益をめぐって暗躍し、他国の動きにひどく神経質となっており、ちょっとしたことでも外交問題になりかねないといった時代である。とりわけ、『旅日記』で遠慮会釈なく批判されている各国政府は目を剝《む》くことだろう。オーストリア外務省が著作集を匿名とし、しかもごく限られた近親者だけに配られるよう弟殿下に要請したというわけである。ちなみに、この著作集の編集は当代の売れっ子詩人エリギウス・フォン・ミュンヒ－ベリングハウゼン男爵、筆名「フリードリヒ・ハルム」である。

さて、その頃、マクシミリアン大公はオーストリア帝国海軍指令官の要職にある。

ただの飾りものではない。陸軍国オーストリアの中でなにかと日陰者扱いされていた海軍を列強の海軍に伍すべく、強化増大の陣頭指揮にあたっていた。「マクシミリアン大公は一心不乱に職務に励み、我々の希望の星となっています。大公はあらゆる細部にまで目を通し、自分の天職への並々ならぬ愛情と鉄のような情熱とで我々の軍団の抜本的な再編成をなし遂げることでしょう」。後の名将テゲットホフ提督が青年将校時代に自分の父に宛てた手紙の一節である。

一口に強化増大といっても金が掛かる。海軍を軽視している兄皇帝の重臣たちとの気の遠くなるような交渉、一方、海軍兵士の志気高揚、戦艦建造、正確な海図の作製、服務規定の練り直し……。要するにマクシミリアンは当時、滅茶苦茶に忙しかったのである。のんびり詩など書いている暇あらばこそである。それにもかかわらず著作集を刊行する。並みの文学好きではない。それではその反響は。残念ながら先に書いた事情によりそれを知ることはできない。恐らくマクシミリアンはじりじりした思いであったろう。世間の反響を知るにはもう十数年、時間が必要だった。しかしせっかく、世間の反響が起こった時マクシミリアンはもうこの世にはいなかった。

一八六七年、とはすなわち、マクシミリアンがメキシコで非業の死を遂げた年、ライプツィヒの出版社、ドゥンカー・ウント・フンボルト社から全七巻に及ぶ『私の生涯より』というタイトルの本が刊行されている。これも著者は匿名となっているが、やはり序文を読めば、それがマクシミリアンであることがすぐ分かるという仕組みとなっている。

ライプツィヒの出版社と代理人（先の私家版の編者ベリングハウゼン男爵）を通じて出版契約を結んだ時のマクシミリアンはメキシコ皇帝の位にあった。しかし、典型的な移入皇帝である。兄フランツ・ヨーゼフ一世のように、その膝下《しっか》にハプスブルク家に忠誠を誓う軍隊、官僚組織を抱えているわけでは毫《ごう》もない。彼はただ一人、まるでヘリコプターから降下するようにメキシコ皇帝の座に降り立ったのである。共和派は外国勢力排除を合言葉にマクシミリアン皇帝政府に執拗《しつよう》なゲリラ戦を挑んでくる。そしてやがて共和派は勝利をおさめマクシミリアンは銃殺されることになる。そんな時に自著の出版準備である。繰り返すが、並みの文学好きではない。さて反響は。

この本の刊行はマクシミリアンが同年六月十七日午前七時五分すぎ、メキシコ中央部の街、ケレタロで銃殺刑に処せられた後になった。ハプスブルク家のプリンス、メキシコ皇帝マクシミリアン一世、銃殺刑に処せられる！　というショッキングなニュースがヨーロッパ中を駆けめぐった直後のことだ。当然、大反響を呼ぶことになる。たちまち、フランス、イギリス、イタリア、スペイン版が出回る。いわゆる際物《きわもの》というやつである。こんな反響など、いまではあの世にいるマクシミリアンは欲しくもないだろう。

しかし各国版が出回った直後の同年八月、フランスの雑誌『時代』誌の文芸欄に次のような評が載る。「このプリンスの著作は文学的魅力と功績に満ち溢《あふ》れている。読者はこの著作を著者の悲劇を思いながら読むのだろうが、たとえ、著者がケレタロで銃殺されたかつてのオーストリア大公であり、かつメキシコ皇帝その人ではなく、市《し》井《せい》の作家、あるいは旅人、あるいは詩人であったとしても、それはそれで、十分に堪能できるものである」これぞマクシミリアンが待ち望んでいた反響であったろう。しかし、彼はすでに逝っている。代わりにこの評に飛びついた伝記作者がいる。

その伝記作者によればこの評の筆者がフランス人であることに大きな意味があるということになる。つまり、マクシミリアンは『旅日記』でフランスを容赦なく批判している。それを読まされるフランス人である評者は面白いはずがない。にもかかわらず評者はこの著作全体を褒《ほ》めている。これは、マクシミリアンの作品がフランス人としての国民感情をあえて抑えつけてまで褒めざるを得ないほど文学的魅力に溢れていたとの証左である、というのである。なんとも御粗末な論法だが、この伝記作者はこうして、数多いるマクシミリアンの伝記作者が誰一人としてマクシミリアンの詩、旅日記の文学的価値を評価し、例えば『詩人としてのマクシミリアン』といった章を設けて本格的に論じようとしていないことに大いに腹を立てている。しかし、この御立腹は多くの伝記作者がそうしたように、あっさり無視してよさそうである。

ともあれ、マクシミリアンの文学好きは十分に分かった。しかし、彼がものした数多の詩、アフォリズム、旅日記の文学的価値はどうなのか。実はその判断を、当代のオーストリア最大の劇作家フランツ・グリルパルツァーに委《ゆだ》ねようというのが本稿の狙いである。以下、現代のオーストリア史の泰斗、アーダム・ヴァントルツカ教授の小論文『メキシコのマクシミリアンとフランス・グリルパルツァー』を祖述するような形でグリルパルツァーを登場させることにする。

「苦虫を嚙《か》みつぶした愛国詩人」グリルパルツァーはハプスブルク家を、オーストリアを、こよなく愛した詩人である。といっても、自分の生まれる前の、あのヨーゼフ二世が君臨した時代のオーストリアである。ヨーゼフ二世。啓蒙専制君主を自分の理想とした皇帝である。ために、母のマリア・テレジア女帝の不倶戴天《ふぐたいてん》の敵、プロイセンのフリードリヒ大王と誼《よしみ》を通じさえした。この狷介《けんかい》孤高の皇帝は次々に改革を断行した。その改革の精神が世にいうヨーゼフ主義である。

しかし、このヨーゼフ主義にのっとったさまざまな改革は短兵急のためことごとく挫折する。例えば、寛容令。後の「ローマと手を切ろう」運動の先鞭《せんべん》をつけたこの法令は多くの知識人の喝采を浴びはした。なにしろ教会の世俗化を徹底させ、ローマ法王至上主義者の糧道を断ち、法王権を盾にいままで帝国内でさんざん好き勝手にふるまっていたカトリック僧侶たちを干上がらせるというのだ。さらに帝国内で、ルター派、カルヴァン派、ギリシャ正教いずれの信者にも信仰の自由を保障するというのである。当然、聖職者の猛烈な反発を呼ぶことになる。

古来、巧妙な為政者というのは聖職者とは決して事を構えたりはしないものである。しかし、理想に燃えるヨーゼフ二世は聖職者を敵に回し、改革を断行しようとする。聖職者と仲違《なかたが》いをすると、素朴な農民が聖職者の側につき、そっぽを向き、改革は挫折する。ヨーゼフ二世は志半ばのうちにこの世を去った。弟レオポルト二世が後を継ぐが、わずか二年で死没。甥フランツ一世がその後を襲う。彼は伯父帝の徹底した中央集権主義だけはしっかりと受け継ぎ、他の進歩的施策はことごとく放棄した。

グリルパルツァーはこんなヨーゼフ主義を理想的な統治思想であると信奉したのである。しかし、理想と現実は常に乖離《かいり》する。つまり、グリルパルツァーとは「行政上のヨーゼフ主義と哲学上とのそれを調和させようとした悲劇的人物」（W・M・ジョンストン『ウィーン精神』井上修一他訳）であるということになる。この悲劇は劇作家の人生のとば口で早くもその兆候が表れ、自作の出版という物書きの死活問題で彼を長年にわたって苦しめることになる。有名な筆禍事件「カンポ・ヴァキーノ事件」がそれである。当時、彼は『祖妣《そひ》』（一八一六年）、『サッフォー』（一八一七年）によりオーストリア文壇にセンセーショナルなデビューを果たしていた。同時に彼は時の皇帝のフランツ一世に仕える下級役人でもあった。

フランツ一世の目下の関心はヨーゼフ二世が残した寛容令を骨抜きにして、再びローマと手を結ぶことである。このコンコルダート（政教条約）を推し進めるため皇帝自ら法王ピウス七世をローマに訪問もしたのである。このローマ訪問の宮廷随行団の一員にひょんな偶然からグリルパルツァーは潜り込むことができた。一八一九年のことである。しかし、劇作家の幸運はここまでである。こともあろうに、劇作家は随行団の一員であることを忘れ、ヨーゼフ主義を剝《む》き出しにしてローマにて法王を冒瀆《ぼうとく》する詩『カンポ・ヴァキーノ』を書き、あまつさえ、それを発表したのである。

フランツ一世は怒り狂い、その後、劇作家は要注意人物と目され、役人としての出世が鎖《とざ》されたのはもちろん、検閲官の執拗な嫌がらせのため自作の出版もままならなくなるのである。その後、グリルパルツァーは皇室を愚弄する戯詩『アルプスの光景』や、いくつかのエピグラムを書くが、もちろん、発表などできはしない。劇作家は出来上がった草稿を自宅の机の引出しにそっと忍ばせるだけで、鬱々《うつうつ》として楽しまぬ日々を送るのだ。

そのうち歳月はすぎ、フランツ一世もすでに逝き、フェルディナント一世の時代となる。この時ヨーロッパに革命の嵐が巻き起こる。一八四八年三月革命である。オーストリア帝国とは帝国内において少なくとも十二の言語が話されるという名にしおう超民族国家である。それゆえ、この革命は帝国内においては民族主義運動の様相を取るのは必至である。民族主義は超民族王朝であるハプスブルク家の原理と真っ向から対立する。ハプスブルク王朝は危機に瀕した。フェルディナント一世の退位を受けて、若きフランツ・ヨーゼフ一世が颯爽《さっそう》と青年皇帝として即位することでこの危機をハプスブルク家は辛くも乗りきることができた。

さて、この革命にたいしてグリルパルツァーははっきりと背を向けた。ハプスブルク帝国は超民族皇帝オーストリアに唯一可能な国家形態であると信じたからである。それゆえ、彼はこの国体護持に功績、大であったラデツキー将軍を讃《たた》える詩を書いたのである。すると劇作家は一変して愛国詩人としてもてはやされることになる。名声は急に高まる。若き頃の筆禍事件もようやく人々に忘れられる。

それにしても、劇作家は自分の名声がこんな形で高まったことにずいぶんと面映《おもは》ゆい気持ちがしたことであろう。しかし、もっと面映ゆいのは、彼の愛国詩にいたく感動したハプスブルク家のプリンスが月桂樹の枝を贈ってよこしてきたことである。このプリンスとはもちろん、フェルディナント・マクシミリアン大公のことであり、月桂樹と手紙が劇作家のもとに贈られてきたのは一八五〇年五月、マクシミリアン十七歳、劇作家五十九歳の時のことだ。

マクシミリアンは手紙に自作の詩を添えた。その結尾は、

　気高き匂いの月桂樹の花は
　ふみよむ人にこそふさわしかろう
　祖国のために心を燃やし、あやまりなく
　その救済を詩《うた》った、その人にこそ

とある。ともあれ、この贈り物と手紙の発信はシェーンブルン宮殿である。かたじけなくも皇弟殿下より直々の贈り物である。「ふみよむ人」は取るものも取らず、さっそく礼状を認《したた》める。

「最近、小生に余りにも多くの栄誉が与えられ、いささか押しつぶされるような気がしております。勲章、華麗な高坏杯《たかつきはい》、世間の評価と賞賛。これはまことに身にしみる

ほど嬉《うれ》しいものでありますが、一方、心の中に目を向けるのを本性とする詩人にとってはこれらのことが、なにか遠い出来事、無縁なもの、否、それどころか困惑のもとのような気がいたします。そんな中で、殿下御自身のまことの熱狂と底に流れる思想を見事に詩《うた》いあげられた素晴らしい詩句が添えられた殿下の意味深き贈り物は詩人である小生にとってとても懐かしい気持ちを呼び起こしました。（略）殿下の御兄君、皇帝陛下は、この苦難の時代にあって内外の安定のために日夜、御苦労されるあまり、この世になくてはならぬものについて絶えずお考えになる暇がございません。殿下！殿下御自身が陛下のお側近くにあって、芸術と学問の庇護者とおなりください！月桂樹を花咲かせ、ハプスブルク－ロートリンゲン家を、我が祖国にニューベルンゲン・リートをもたらし、ヴァルター・フォン・フォーゲルヴァイデをして『オーストリアで私は詩《うた》うことと語ることを修得した』と言わしめた、あのバーベンベルク家の衣鉢《いはつ》を継ぐ後継者となさるようお働きください……」

この礼状はいろいろに読むことができるだろう。例えば、手紙の後段に、皇帝フランツ・ヨーゼフ一世には暇がないから弟であるマクシミリアンが芸術と学問の庇護者になれ、というくだりがあるが、これはフランツ・ヨーゼフ一世の学芸音痴ぶりを徹底して揶揄《やゆ》したものと読めなくもない。事実、皇帝は全くの学芸音痴である。暇がないわけではない。しかし、そのせっかくの暇を帝は大好きな狩猟に費やしてしまう。そのことをからかったエピグラムをグリルパルツァーは書いているくらいである。どうやら彼は今上《きんじょう》帝であるフランツ・ヨーゼフ一世のことをどうしても好きになれなかったらしい。

しかし、いずれにせよグリルパルツァーは礼状の中で、わずか十七歳のマクシミリアン相手に芸術盛んな時、また国興《おこ》る、と説いているわけである。とはすなわち、学芸すたり、国衰運に向かう、と現状を憂えているわけである。思えば、この現状はフランツ・ヨーゼフ一世ただ一人に責めを負わせられるものではない。学芸をないがしろにするのは先帝、先々帝からの悪弊である。劇作家は自分に月桂樹を贈ってよこしたプリンス相手につい、愚痴ってしまったのだろう。相手が皇弟殿下でなければ、筆鋒、さらに鋭くなっていたことだろう。さしずめ、こんな具合に。学芸を愛好するとは王侯貴族たるものの嗜《たしな》みの一つ。とりわけ王侯の中の王侯、ハプスブルク家の一門たるもの、詩の一節を誦《ず》し、弦をつまびき、彩管《さいかん》を振るわずしてなんとする。

事実、かつて同家は、三十年戦争、そして東に牙《きば》を研《と》ぎ続けるオスマン・トルコ、西に野心をたぎらせるルイ十四世のフランスが控えていた最中においても、フェルディナント三世をはじめとする、いわゆるバロック四帝を戴き、帝都ウィーンを学芸の都たらしめたものである。それなのに今上《きんじょう》帝フランツ・ヨーゼフ一世は、すこぶるつきの学芸音痴。帝だけではない。帝の伯父である先帝、フェルディナント一世、祖父にあたる先々帝、フランツ一世も学芸にくらかった（音楽だけにはこの二人の帝、少しは理解を示した）。これでハプスブルク家は三代にわたって学芸を解さぬ皇帝を戴いたことになる。嘆かわしいことである云々、とでも書いたことであろう。

それではいわば老境にはいったグリルパルツァーの愚痴を受け止めるだけの才能をマクシミリアンはもち合わせていたのだろうか。マクシミリアンへの礼状をよく見れば、マクシミリアン自作の詩にたいして劇作家は通り一遍の賛辞を贈るだけで、決して詳しく論じようとはしていない。後にある友人からこのことについて尋ねられた時、劇作家はこう答えたという。「たしかにその気になれば私は大公の詩についてお世辞たらたらの美しいことだけを言うことができたでしょう。しかし、そんなことをすれば大公にもっとひどい詩を書かせることになったことでしょう。だからむしろなにも言いたくはなかったのです」。

礼状はこの辺のことを巧みに暈《ぼか》した傑作だったというわけである。もちろん、マクシミリアンは暈された真意を読み取ることができなかった。それが傑作たるゆえんであるが。

この暈された真意を読み取れぬまま、相変わらず自分を礼賛し続けるマクシミリアンにたいして、グリルパルツァーはある時、ずいぶんとつれない仕打ちをしたことがある。すなわち、こうである。

一八五五年十一月、マクシミリアンの兄フランツ・ヨーゼフ一世はローマ教会とコンコルダート（政教条約）を結んだ。これにより「すべての小学校が教会の監督下におかれることになったほか、すべての婚姻が、国家の手を離れて教会法の規定に従うことになった」（W・M・ジョンストン、前掲書）のである。老いてもなお熱烈なヨーゼフ主義者であるグリルパルツァーは、このフランツ・ヨーゼフ一世の措置に腸《はらわた》が煮えくりかえる思いにとらわれる。そして同時に昔、自分が引き起こした筆禍事件を苦々しくも思い出すのである。劇作家がこうして苦虫を嚙みつぶしている時、間の悪いことに、マクシミリアンが十一月七日、イタリアのトリエステで馬車から振り落とされて脳震盪《のうしんとう》を起こしている。この小事件をとらえてグリルパルツァーはさっそく、シンボリックという表題のエピグラムを書いているが、その内容がいかにもすさまじい。

決断には実行が伴うのは世の常

誰にもその精神が見えてくる
ほらみたことか、政教条約が結ばれれば
早速、あるプリンスが頭を打ってござる

ヨーゼフ主義者としてはこのたびの政教条約がなんとしても気に食わない、たまま、この条約の推進者の弟がとある場所で落馬した、こりゃ愉快だ、天罰が下った、と鬱憤《うっぷん》晴らしをしたのだろうが、そのはけ口とされたマクシミリアンもずいぶんと気の毒なことである。彼自身はこの条約にいっさい無関係だ。それとも坊主憎けりゃ袈《け》裟《さ》まで憎い、ということか。しかし、この袈裟は劇作家にとって単なる袈裟ではないはずだ。五年前、自分の詩にいたく感動し、熱烈なファンレターを添えて月桂樹を贈ってよこした大切なファンである。それにもかかわらず、このエピグラム。ヨーゼフ主義者としての怒りがそれほどすさまじかったのだろう。そして劇作家は自分のファンであるマクシミリアンの人物を、その文学的才能も含めてあまり評価していなかったのだろう。

もちろん、マクシミリアンは劇作家が自分の落馬事件をネタにしてこんなエピグラムを書いているとは露知らず、相変わらず、超多忙の中せっせと劇作家にファンレターを書いている。ところで、マクシミリアンはなぜ超多忙なのか。目の前にあるメキシコ皇帝という幻に取り憑かれていたからである。取り憑かれると、人の忠告はいっさい、耳に入らない。マクシミリアンはメキシコ行きを断行する。そしてメキシコ皇帝マクシミリアン一世となる。例によってマクシミリアンは精力的に動く。しかし、国土の疲弊、内戦の傷跡、外国勢力の干渉、共和派のゲリラ。自前の軍隊、自前の官僚、なにもたない移入皇帝がどう動いてもどれ一つとして解決の糸口すら見つからない。

そんな現実にもかかわらず、あるいはそんな現実を忘れようとしてか、マクシミリアンはメキシコに立派な、それも西欧風の文化を植え付けようと夢想する。その一つに勲章創設がある。グァダルペ十字勲章がそれである。これに一種の文化勲章のような機能を果たさせようとマクシミリアンは受賞者の一人に祖国第一の劇作家グリルパルツァーを選んだ。遠きメキシコから彼は劇作家に宛てて書く。

親愛なるグリルパルツァー殿！　貴下は現存するドイツ詩人の第一人者であり、この私が真っ先に思い出す一人であります。卓越した方々に私の驚嘆と賞賛をお伝えしたく、ここに貴下に対し我がグァダルペ十字勲章を授けることにいたします。

敬具

マクシミリアン

今度は月桂樹どころか大十字勲章である。劇作家は早速、礼状を書く。もちろん、あのエピグラムのことなどおくびにも出さない。しかし、どんな気持ちで礼状を書いたのだろうか。マクシミリアンは十七歳の若い時から、その晩年にいたるまで、しかも、最も苦難の中にいる時でも、こうして変わらず自分を賞賛してくれている。その変わらぬファンのちょっとした不運を取りあげ自分はからかってみせたことがある。こんなふうに思うと劇作家は礼状を認める時内心忸怩《じくじ》たる思いが去来したのではなかろうか。

しかし、劇作家の変わらぬファンであるマクシミリアンを襲う不運は、ちょっとしたものではついに終わらない。悲運である。マクシミリアンは一八六七年六月十九日、メキシコ共和派により銃殺される。この悲報を聞き、グリルパルツァーは書く。しかし、その書かれたものは、内心忸怩たるものがあろうとなかろうと、決してことの悲劇性に流されることなく、実に、淡々、なにか冷やかでさえある。曰《いわ》く、

彼は己の大胆な企てを決して完遂できなかった。なぜなら彼は神ではないし、運命をかえることなどできはしないからである。しかし、それにもかかわらず彼は歴史に自分の名前を刻み込んだ。

ところで、マクシミリアンの遺体はどうなったか。この遺体引き取り交渉はオーストリア帝国とメキシコ共和国との間の高度な政治的取引と化し、引き取りが行われたのは処刑後半年近く経《た》ってのことである。そしてフランツ・ヨーゼフ一世の命を受けてマクシミリアンの遺体を引き取りにきたのは、かつてマクシミリアンが手塩にかけて育て上げた、名将テゲットホフ提督である。提督は後に、「私が一足飛びに上りつめた高位高官の地位、あるいは私の胸を飾る数々の勲章。これらを、私は、私が生涯かけた仕事の真の報酬としては……見做しておりません。私にとって真の報酬とはかつて皇帝陛下が、その気高い思いやりで私に下命されたあの任務のことです。陛下の雄々しい弟君の屍を我が祖国に護送するという任務のことです」と述懐している。

この忠義の人テゲットホフ提督をグリルパルツァーは国の護《まも》りと賞賛している。その提督が一八七一年、早世すると、劇作家は提督の記念像の建立《こんりゅう》を世間に訴えた。それではその像をどこに設置するか。ヴォティーフ教会の前にこそ設置すべきだと劇作家は訴える。ヴォティーフ教会とはかつて兄フランツ・ヨーゼフ一世がテロに遭いながらも命助かった折、マクシミリアン自らの発案で皇帝陛下快癒慶祝のため、と銘打って全国民にその建立を訴えた教会である。つまりマクシミリアンは、このヴォティーフ教会の建立者といってもよいのである。このマクシミリアンゆかりの人物の記念像を設置しようと劇作家は奔走する。その設立趣意書は言う。

ここヴォティーフ教会には悲劇の皇帝マクシミリアンの思い出が立ち籠めている。彼のもとでテゲットホフは成長したのだ。マクシミリアンこそが海軍の長として、後のテゲットホフのたび重なる勝ち戦に繫がる軍備を整えたのだ。そのマクシミリアンの遺体を忠義の人テゲットホフは祖国に持ち帰った。この教会の前にこそ、テゲットホフは堂々と立ち、彼の以前の恩人と、そして祖国の名誉を護るべきである。

この趣意書は言ってみれば、四年前、無念のうちに逝ったマクシミリアンに捧げる鎮魂歌のようなものである。同時に二人の間のちょっとした交流の最後の一コマである。この時、グリルパルツァー八十歳。自分よりはるかに若い一ファンのためにこうして鎮魂歌を奏でる時、老劇作家の胸に去来したものはなにか。ひょっとしたら、苦虫を嚙みつぶしながらも、かつての自分の仕打ちを、その人にそっと詫びたのかもしれない。翌年（一八七二年）一月二十一日、当代、オーストリア最大の劇作家は逝った。

マクシミリアン大公⑤

ウィーン紀行／シェーンブルン動物園

ウィーンにいる間、シェーンブルン宮殿を何度も訪れた。しかし、回を重ねるとさすがに飽きてくる。マリア・テレジア女帝がこよなく愛した全面これ黄金色の建物がまず鼻についてくる。なんでも全部で千四百四十一室あるとのことだが、後世に著名なエピソードを残した部屋はそう多くはない。そんないくつかの部屋の前で、ああ、ここでモーツァルトが神童ぶりを披露したのか、あそこで女帝マリア・テレジアが宰相カウニッツと密議を凝らしたのか、ここからナポレオンがウィーン全市を睥睨《へいげい》したのか、会議が踊り続けたのはここか、あそこでフランツ・ヨーゼフ一世が孤独な晩年をすごしたのか……と思いをめぐらせるも、次第に興ざめてくる。

しかし、宮殿の広大な庭園の一角にある動物園だけは別である。飽きがこない。少なくとも私の二人の娘は何度でも来たがる。古今東西、完璧《かんぺき》な婿養子といわれているマリア・テレジアの御夫君フランツ・シュテファンが女帝との間に儲《もう》けた十六人の子供たちのために建立した帝室動物園は、いま多くの老若男女を魅《ひ》きつけている。帰国間近の極寒の二月、今度も娘たちにせがまれて何度目かの動物園にやって来た。

動物園だけが目当てならば、ウィーン市営地下鉄4号線ヒィーツィング駅で降りるのが近道である。ヒィーツィング門をくぐり、巨大な温室を右手にしながら、ふと左手に目をやると、所々で噴水の吹き上げる水がたちまち凍りついたのか見事な氷花をなしている。ともかく寒い。ゾウ、キリン、ライオンなどは暖房の効いた屋舎で見るしかない。屋舎はせまく空がない。すぐ目の前の動物が異様に大きく見えて、大人でもギョッとする。そしてなによりも臭い。初めて来た時「動物園の味がするね」と、親をうれしがらせる台詞《せりふ》をはいた下の娘も、ほぼ一年経《た》つとこんな洒落《しゃれ》たことは言わない。臭いを臭い、と言うだけだ。そして屋舎に入ってこようとはしない。仕方がないので、寒さに強い、オットセイ、アザラシ、シロクマ、ペンギンたちだけを冷え冷えとした冬の空の下で見物することになる。そんなわけで、冬の動物園は娘たちといえども苦手なようである。早々に退散することになってしまった。

しかし、娘たちにはもう一つの目算がある。つまり、いつのまにか我が家では、冬に市街に出掛けることが、ウィーンの冬の風物詩、焼き栗を頰《ほお》ばることとイコールになってしまっていたからである。十シリング（百二、三十円）で十二〜三個、焼き栗が入った紙包みを首尾よく手にいれた娘たちは地下鉄駅へ行こうとする。しかし私は強引に娘たちの方向を変える。

娘たちに目算があるなら、私にも目算がある。こんな寒い日にも動物園に付きあったのは、ヒィーツィング門から地下鉄駅との反対の方向に少し歩いた所にあるちょっとした広場に行ってみたかったからである。動物園とこの広場は、私のウィーン紀行とまんざら縁がないわけではないのだ。ともかく広場に着いた。

ある人物の銅像が立っている。面長を通り越した馬面。ぶ厚い下唇。仮に口をきいたら、その地声は殊《こと》のほか、大きいことだろう。まさしくハプスブルク家のプリンスである。悲劇のプリンス、フェルディナント・マクシミリアン大公である。その悲劇については はすでに書いたが、このプリンス、子供時代、毎日のようにこの帝室動物園に出入りしていたという。夏、冬、季節に関係ない。それも、日がな一日、園を見て回る。思いこうじて園内にプリンス専用の小屋を建ててしまう。世界中から集められた貴種、珍種の動物、エキゾチックな熱帯植物。動物園が必然にもつ、異形の世界はさなきだに強烈なプリンスの空想癖をいやがうえにも駆り立てたのだろう。そしてこの別世界への偏執的な憧《あこが》れこそがプリンスを悲劇に陥れたのに違いない。

してみると、冬の動物園が苦手な私の娘たちは概《おおむ》ね安穏《あんのん》な人生を送ることになるのだろう。こんな娘たちに、冬の動物園をこよなく愛した一人のプリンスの物語を話してあげるのも私のウィーン紀行の一つである。

ヨハン大公

海に消えたハプスブルク家の反逆児

ハプスブルク家の祖妣

一八七二年の夏の真夜中。帝都ウィーンに涼しい風が走る。ここハプスブルク家の居城ホーフブルクはひんやりとさえする。五千万オーストリア帝国臣民をしろしめすフランツ・ヨーゼフ一世皇帝陛下がお寝《やす》みになる部屋近くの中庭。称してスイス人の庭。そのかみ、瘦《や》せた土地しかもたぬ山岳民族スイス人は妻子を養うため、己が屈強な身体だけを頼りに「血の輸出」、すなわち傭兵《ようへい》としてヨーロッパ各地をさまよったものだ。こんな故事にちなんでこの中庭はスイス人の庭と命名されたのか。だとすると、故郷を後にした傭兵たちの哀しみがいまなお、そこここに籠もっているようであまり気味がいい場所とはいえない。なにか出そうである。事実、出たのである。

その日、不寝番に当たっていた一人の近衛兵が中庭から城の回廊にゆらゆら動くものを見た。白いものを身に纏《まと》った透き通るような肌をした女性だ。時はまさしく十二時。あっ！　祖妣《そひ》だ！　兵士は立ち竦《すく》んだ。

翌朝、兵士の報告を聞いた大尉殿は激怒する。兵にあるまじき臆病《おくびょう》者め！　と彼をただちに営倉に入れてしまう。祖妣とは、家に巣くう祖先の女幽霊である。しかも自分がなした悪行が因果《いんが》となってやがてその家が滅亡せざるを得なくなったその時にそれを知らせに現れるという幽霊である。してみると、ハプスブルク家が滅びるというのか。とんでもないことである。大尉の処置は正しかったようである。

しかし幽霊が三日も続けて現れるとなると人の口には戸を立てられない。新聞が嗅《か》ぎつける。新聞でこのことを知った一部の聖職者は、これは教会の敵である自由主義者の跋扈《ばっこ》に業を煮やした神が警告の意味で送り込んできた霊であるなどと善良な信徒を煙に巻いたりしている。もちろん、多くの人々は幽霊の存在など信じていない。そこで読者の意を体して『新ウィーン日報』は断固たる真相糾明を要求し、時の司法大臣に公開質問状を突きつける。某宮廷顧問官殿の「新聞には書きたいだけ書かせておけ。そのうち飽きてなにも言わなくなる」という忠告に従い、大臣はいっさいノーコメント。案の定、やがてこの事件は紙面から消え、話題にものぼらなくなった。人の噂《うわさ》も七十五日とはよく言ったものである。

ところで、真相は？　極上のトカイワイン五本という賞金に釣られ、一人の兵士が幽霊を引っ捕らえようとした。すんでのところで取り逃がしはしたが、翌朝よく見ると廊下に血痕《けっこん》がある。これで幽霊は生身の人間と知れた。ここでその後パタリと姿を消した幽霊の捜査は打ち切りとなる。それもそうである。こんな大胆な悪戯《いたずら》をやってのけるのは警察権も及ばぬ上つ方、ハプスブルク家のプリンスに決まっているからである。数多くいるプリンスのうち、極め付きの文句言う之介、ヨハン・サルバトール大公殿下その人である。

しかし考えてみれば、大公は祖妣を演じて一つの予言をし、それを的中させたことになる。なぜなら祖妣の出現が示すように、やがてハプスブルク家は滅亡したからである。もっとも大公は後に勝手に皇籍を離脱し、己の家の滅亡より一足お先にと、早々と南米はホーン岬で船乗りとして散ってしまった。忙しい人生を送った大公である。

約百年後の一九八五年の冬の昼下がり。金曜日。ホーフブルクのスイス人の庭に面した宮廷内礼拝堂の入口。ここで日曜日のミサの入場券(?)が売り出される。売り出しは午後五時からだが、一時には長蛇の列である。ミサで披露されるウィーン少年合唱団の天使の歌声を二人の娘になんとか聞かせてやりたくて寒い中を私はもう二時間

ヨハン大公

も待っている。いい加減、頭がぼうっとしてきた。ふと、中庭から王宮付属庭園に抜ける暗い回廊に、白いものがゆらりと動くのが見えた。この祖妣はどんな不幸を知らせに現れたのか。それとも不幸を知らせているのではなくヨハン大公の生きざまをよく見ろと私に合図を送ってよこしたのか。ともあれ、このまま白昼に祖妣を幻視し続けることにした。

ヨハン・オルト生存伝説

鐘が鳴る。「誰《た》がために鳴るやと、問うなかれ、汝《な》がために鳴ればなり」と詩人ジョン・ダンは詩《うた》った。しかし、この鐘の場合はどうなのか。聞いてみよう。さて、この鐘が鳴り響くのはロンドンはリーデンホール街にある、世界最大の海軍保険会社、ロイズ保険の厳《いか》めしい建物の一階大ホールである。黒い襟のついた赤いマントという昔ながらのいでたちをした係のものが、この時ばかりはとシルクハットを脱ぎ、ホール中央に吊ってある鐘の紐《ひも》に手をかける。鐘が鳴るのは一回か、それとも二回なのか？ホールにいる誰もが固唾《かたず》をのんでこれを待つ。世界の海のどこかで海軍事故が起きるとロイズ保険の誇る情報網はどんな機関よりもいち早く、かつ正確にこれをキャッチし確認し知らせる。鐘の音が一度であれば死の知らせ。二度は生存。ロイズ保険の発表は神の声にも等しい。

一八九一年七月二十日の鐘は一度、短く鳴っただけだった。同時に黒い告知板には詳しい悲報が張り出される。曰《いわ》く、「聖マルガレーテ」号（一三六八トン）、船長ヨハン・オルト、乗組員二十四名は一八九〇年七月二十日から二十一日にかけての未明、南米ホーン岬にて遭難、沈没、と。

ところで、船長ヨハン・オルトとはかつてのハプスブルク家のプリンス、ヨハン・サルバートル大公が自ら皇籍を離脱した時に名乗った市民名である。かつてのオーストリア大公の遭難。波紋は大きい。ロイズ保険も慎重になる。大公の遭難の確認と発表に、ちょうど一年もかけている。

しかし、従兄弟のオーストリア皇太子ルドルフと結託し、ルドルフの父である皇帝フランツ・ヨーゼフ一世に退位を迫るという宮廷クーデターを計画し、それがルドルフの情死事件で頓挫《とんざ》すると、さっさとハプスブルク家を飛び出す。そんな人物の遭難話である。いくら権威あるロイズ保険が彼の死を確認したところで歴とした証拠、つまり遺体が上がらぬ限り、世間はそう簡単には大公の死を認めない。世間はもう少し、大公に、生きていて大向こうをうならせてほしいのである。

例えば、大公とともに遭難したとされるかつてのウィーンの王立オペラ座の舞姫、ミリ・シュトゥーベルとの愛を最後まで全《まっと》うしてほしいのである。プリンスと舞姫との恋。一幕の芝居で終われば、皇帝以下、一族も苦笑いしながらこれを許すだろう。しかし、あろうことか、大公はこの恋を貫き通そうとした。世間はこんないちずな大公の姿を見ることによって、ひしと迫るオーストリア帝国没落の予感を一瞬でも忘れていたいのである。

かくして大公は、人々の心のエクラン（スクリーン）から消えることなく、多くの生存伝説が生まれる。世界のあちこちにヨハン・オルトが現れる。日本にも現れる。伝説によると、現れたのは日露戦争前夜のことだという。

ここからは筆者の全くの空想だが、大公時代は陸軍大佐をつとめ軍略に長《た》けたことで世に知られたヨハン・オルトである。ひょっとすると対ロシア戦略の秘策を日本軍に伝授したかもしれない。次に彼はパリに現れる。そこで一人の日本人に会う。フランス公使館付武官、明石元二郎大佐である。日露戦争勃発《ぼっぱつ》前夜の大佐のヨーロッパでの任務は諜報活動によるロシア国内の攪乱《かくらん》である。極東の島国が大国ロシアを打ち破ることに、あらたなるロマンを見いだしたヨハン・オルトはロシア公使館付武官となってペテルスブルクに赴くことになった明石大佐にさまざまな秘策を授ける……。

このように空想は羽ばたき、ヨハン・オルトは生き続ける。もとよりこれはいたずらに空転する筆者の想像にすぎない。しかし、同時にこれは、ヨハン大公という人物が人の想像力をかくもオーバーヒートさせるほどの魅力を秘めていたことの証左かもしれない。彼の伝記が書かれるゆえんである。

皇太子ルドルフ①

国家転覆の小函

これから話す物語は、一八八九年一月三十日払暁《ふつぎょう》、オーストリア帝国皇太子ルドルフが妻子ある身で、マリー・ヴェッツエラ男爵令嬢と引き起こした情死事件にまつわる秘話である。まず、その種本について少し書く。マリー・ラリッシュ著『我が過ぎし日々』がそれである。ここに書かれているのは主として著者がハプスブルク家の宮廷で見聞きしたことである。しかし著者マリー・ラリッシュ伯爵夫人自身はハプスブルク家の人ではない。

マリー・ラリッシュはバイエルン王国のヴィッテルスバッハ家傍流のプリンスと、ある女優との貴賤婚から生まれた女性である。父プリンスの妹は絶世の美女、オーストリア皇妃エリザベトである。婚家先ハプスブルク家で、圧倒的な姑の力の前に孤立無援の嫁、エリザベト皇后はバイエルンのミュンヘン宮廷にいても決してプリンセスとはなれぬ哀れな姪《めい》マリーを愚痴の聞き役にでもとウィーン宮廷に引き取る。姪は華やかなウィーン宮廷に自由に出入りすることで自身の出自へのコンプレックスを癒そうとしたのか、嬉々《きき》として美しい叔母の懐へと入っていく。しかし彼女にとって宮廷生活とは、わがままな女主人の気まぐれに翻弄される小間使い同然のものであった。ラリッシュ伯爵との結婚も、伯母エリザベトの身勝手な指図によるものである。これでは心が歪《ゆが》む。事実、歪んだ。そしてその歪みは、やがて粉飾濃厚な回想録『我が過ぎし日々』へと増幅されていく。

そんなわけで、この回想録を一級の原史料として使用することを多くの歴史家はためらう。しかし、これから話す物語の根拠となる資料はこれしかないのだ。他に強いて挙げるとすれば、当時のウィーン警察本部長クラウス男爵に宛てた秘密警察の報告書が傍証となるくらいである。報告書に曰く、「一月二十七日午前十時、皇太子殿下は再びグランド・ホテルに現れ、ラリッシュ伯爵夫人の部屋においでになりました。なお、殿下は軍服姿でございました……」と。

皇太子殿下に密偵がつく。剣呑《けんのん》な話である。ともあれ、この密偵のおかげで、皇太子ルドルフがその情死の数日前、母方の従姉妹であるラリッシュ伯爵夫人を訪ねたことだけは確かめられた。さて、ルドルフは従姉妹になんの用事があったのか。『我が過ぎし日々』を読むしかない。

ルドルフは後の心中相手のヴェッツエラ嬢を密かにホーフブルク宮殿に案内してくれるよう、従姉妹に頼む。マリー・ラリッシュはルドルフの恋の取り持ちをしていたのである。さて、ルドルフの話はそれだけではない。見ると、ルドルフの顔は異様に青ざめ、目は妖《あや》しく光っている。

「マリー、僕はいまとても危険な所にいる……僕が無条件に信頼できるのは君だけだ。どうか、これから君に言おうとすることを、せめて僕が生きている間は決して誰にも漏らさない、と誓っておくれ……」

こう言ってルドルフはマントの下から小さな函《はこ》を取り出す。

「この小函をすぐどこかに隠しておいてくれ。僕が持っているところを見つかったら大変なことになる。なにしろ、親父（フランツ・ヨーゼフ一世）がいつなんどきぼくの持ち物の捜索を命じるかしれないのだ」

「そんな恐ろしいものをいつまで預かればいいの？」

「僕が取りに戻るまでさ。あるいは誰か他のものが返してくれという時までだ……しかしこの他のものとはこの小函の秘密を知っている唯一のもので、僕以外に彼だけが、この小函を手にすることができるのさ」

「それは誰なの？」

「この際、名前はなんの意味もなさない。いいかい、マリー、君はある四つの文字を告げる人物にこの函を引き渡すのだ」

その後ルドルフは、なにもかもお父様に打ち明けて、御慈悲におすがりしたら、という従姉妹の忠告にたいし、「そんなことをすれば自分で自分の死刑判決に署名するようなものさ」と力なく笑い、よろめくようにしてグランド・ホテルを後にした。

その三日後、オーストリア皇太子情死事件という前代未聞の大スキャンダルがハプスブルク家の必死の隠蔽《いんぺい》工作にもかかわらず、アングラ放送を通じてたちまちのうちに全ヨーロッパに知れ渡る。その間、あの小箱はマリー・ラリッシュの手もとに置かれたままとなっていた。

ところで、ルドルフの言った四つの文字とは「R・I・U・O」である。なんの暗号なのか。この種の判じ物といえば、十五世紀という近世のとば口で、ハプスブルク家の世界への飛翔を夢みたフリードドリッヒ三世が必死に唱えていた「A・E・I・O・U」（地上のすべてはオーストリアのもの、という文の頭文字とふつう解釈されている）がすぐさま思い出される。祖先に倣《なら》ってルドルフはこの四文字にどんな思いを込めたのか？　この四文字を知るもう一人の人物の登場を待たねばならない。

皇太子ルドルフ

マリー・ラリッシュはルドルフの情死の数日後、匿名の封書を受け取る。中には「今晩十時半にシュヴァルツェンベルク広場に例の小函を御持参願いたい。R・I・U・O」とある。言われた通り、マリー・ラリッシュがくだんの場所にくだんの時刻に赴くと、そこに待っていたのはハプスブルク家の反逆児ヨハン・サルバトール大公殿下であった。この大公殿下、治に居て乱を興すこと一再ならず。皇帝陛下を取り巻くハプスブルク家一門の保守派たちとの激しい軋轢《あつれき》を知らぬものはない。いまも、陛下の不興を買い、帝都ウィーンを追われ、遠くユーゴの港町フイウメに蟄居《ちっきょ》同然の身のはずである。それがマントを纏《まと》い夜のウィーンを微行《しの》んでいる。

マリー・ラリッシュは大公の顔を見て驚き、同時に函の中身をおぼろげに覚った。大公も曖昧《あいまい》な言葉ながらもその一端を漏らす。ことは国家転覆、大逆の罪に問われかねぬものらしい。そして父に弓ひく罪！

すると四つの文字とは一般に解釈されているようにUとOの順番を逆にしてRudolf Imperator Österreich - Ungarn（＝オーストリア・ハンガリー皇帝ルドルフ）の頭文字とみるのが最も妥当であろう。皇帝ルドルフ！　これはまさしく四十年以上にわたってオーストリアに君臨する父皇帝フランツ・ヨーゼフ一世を倒し、自ら皇帝となり、衰退著しいオーストリア帝国を建て直すのだというルドルフの強固な意志が込められていることになる。

こんなルドルフにヨハン大公は帝国改造の希望を見いだしたのだ。しかし皇太子と手を組んで皇帝に退位を迫るという決断は大公にとって、ある意味では皇帝の息子であるルドルフ以上に辛《つら》い決断であった。なぜなら、ある伝記作者によると、大公は個人的には何度か逆らったにもかかわらず、フランツ・ヨーゼフ一世に具現される皇帝の権威にはハプスブルク家の誰よりも深く敬意を払っていたし、「使徒皇帝陛下という概念は大公にとって依然として宗教的、形而上学的に深い意義をもっていた」からである。この辛い決断をやっとのことで乗り越えた矢先に、肝心のルドルフが己の犯そうとする罪にいまさらながらのように脅え、すべてを放擲《ほうてき》し、逃げ出してしまったのである。大公は、あの臆病《おくびょう》者めが！　とルドルフを激しく詰り、マリー・ラリッシュに聞かれるままにこう打ち明ける。

「彼は私との約束を破ったのだ！　私は彼を信頼していたというのに！」

この言にマリー・ラリッシュは思わず「殿下はオーストリアを離れるおつもりですね」と大公の核心を衝く。大公は答える。「しかり、私は生まれ変わる。いままでの人生の無意味さに倦《う》み、いま新しい生活を始めるのだ。さようなら……」。こうして大公は小函を大事に抱えながら、折から立ち籠める霧の中に消えていく。後に大公は皇籍を離脱し、ルドルフの情死のわずか二年後、船乗りヨハン・オルトとして南米ホーン岬に散った。そして同時に皇太子ルドルフのあの小函も永遠に消えてしまった。

さて、『我が過ぎし日々』にもとづく、皇太子の小函の話はここまでである。資料の信憑性《しんぴょうせい》が取りざたされているが、この資料の傍証資料を一つ紹介しておく。ヨハン大公が幾多の妨害にもめげず生涯の伴侶《はんりょ》とし、大公とともにホーン岬に消えた、ウィーン・オペラ座の舞姫ミリ・シュトゥーベルの姉の証言である。それによると妹は時折、大公の持ってきた小函についてびっくりするぐらい興奮して、時には涙まじりに語っていたということだ。ひょっとすると大公は舞姫に小箱の暗号「J（Johann＝ヨハン）・I・O・U」と変えて教えたのかしらん。

皇太子ルドルフ②

一八八四年ウィーンの事件

この小文の表題はラリー・ウルフ著『ウィーン一八九九年の事件』（寺門泰彦訳・晶文社）のもじりである。ところで、ウィーンの一八九九年といえば「安定の黄金時代」（シュテファン・ツヴァイク）真っ盛りである。およそ四半世紀前、ウィーン万博の年、突然、株式相場が大暴落し、泡沫会社時代のバブルが弾けた時、都市ブルジョアたちは慌てふためいたものだ。しかしそれでも、ウィーンの市壁を取り壊して生まれた広大な環状空間跡地での建築ブームは続いた。この環状道路時代により経済は立ち直り、ブルジョアは自信を取り戻し、またぞろ「この世はすべてこともなし」と「安定」を貪《むさぼ》っていた。そんな一八九九年、ウィーンで嬰児《えいじ》殺しが立て続けに四件も起きた。

この年のワルツ王ヨハン・シュトラウスの死ならば人々は安んじて哀しむことができた。しかしカトリック・オーストリアにおいてよりによって嬰児殺しとは！　せめて父親殺しならば説明がつくかもしれない（この年、フロイトの『夢判断』が発刊されている）。母性信仰が音を立てて崩れ落ちた。ブルジョア社会は恐慌をきたした。「安定」とは実はブルジョア社会だけでの話で、プロレタリアは「不安定」の真っただ中にいる。そこから彼らは嬰児殺しという毒薬を「安定世界」に投げ込んだのだ。

『ウィーン一八九九年の事件』は、事件を報ずる新聞、雑誌（主として『新自由新聞』と『労働者新聞』）をくまなく拾い上げ、そしてこの事件にたいするフロイトのいっさいの沈黙の意味を問い、もってウィーン世紀末の社会の仕組みを炙《あぶ》り出さんとした、すこぶる気合の入った名著である。

さて本題のウィーン一八八四年。十五年後の一八九九年とたいして変わらない。つまり、「安定世界」を揺るがす兆候はすでに散見されていた。そして、それはなにもプロレタリアだけからやって来るのではなく、社会の上つ方からも「安定」の中に閉じ込められて、もがき苦しんでいる声が聞こえていた。

そんな時ある事件が起きた。一八八四年二月十一日の晩、ハプスブルク家の異端児ヨハン・サルバトール大公殿下所有のアパルトマンで、ある会が開かれた。出席者はいずれも貴顕紳士。会の主催者は皇太子ルドルフと彼の「最も親しい敵」、ヨハン・サルバトール大公である。ゲストはラツァール・ヘレンバッハ男爵とミスター・ハリー・バスチアン。男爵は当代一の心霊研究家である。そしてバスチアン氏は超売れっ子の霊媒師。

一八四八年、アメリカはニューヨーク郊外のある寒村で一組の姉妹が演じてみせた超常現象が心霊主義の始まりと言われている。その後、降霊会はアメリカ、そしてヨーロッパを席巻した。そして一八五九年に発表されたダーウィンの『種の起源』が降霊会ブームに拍車をかけた。自分たちの祖先がサルだと言われ、人々は真っ青になり、そんなことがあるものかと、確認のために降霊会に殺到したのだ。もちろん、こんなことに気を病むのは食うに困らない連中である。こうしてここウィーンでも降霊会は上流社会のモードとなり、有名な霊媒師バスチアンがイギリスから招かれたのだ。皇太子と大公主催による降霊会も当夜で三度目を迎えた。

皇太子と大公は降霊会を開くに当たって入念な準備をした。二人とも心霊術にはうるさい。とりわけ皇太子。母エリザベト皇后は筋金入りの心霊主義者だ。皇太子は孤独な幼年時代、このまれにしか顔を見せない母から幽霊話だけはさんざん聞かされ育ったのだ。少年は、むやみと広いだけで寒々としたホーフブルク宮殿で、たった一人で幽霊と戦ってきたのだ。長じて反心霊主義者となる。降霊会ブームに沸き立つ上流社会を揶揄《やゆ》したパンフレットを匿名で書いてもみた。しかしこんなことぐらいでは幼少年時代に受けた精神的外傷を癒すことはできない。傷は思いのほか深い。後はこの手で自分の過去を剝《は》ぎとるようにして、幽霊の仮面を剝ぐしかない。ヨハン大公が協力を申し出た。大公にしてみれば軟弱な皇太子を救ってやるぐらいのつもりであった。

ともあれ、二人の入念な準備とは霊媒師バスチアンの仮面を剝ぐためのものであったのだ。大公は図書室と書斎との間の観音開きのドアに、紐《ひも》を引っ張るとドアがバタンと閉まる仕掛けを施した。

さてバスチアンの要求で、くだんのドアの前にカーテンが掛けられ、いよいよ書斎で降霊会が始まった。いろんな霊が降りてきて、第三番目に女性の霊が姿を現した時、大公が「やるぞ！」と皇太子に合図し、手にしていた紐を引っ張った。重い樫のドアがバタンと締まり、皇太子と大公は脱兎《だっと》のごとくカーテンの中に入り、バスチアンを引っ張り出し、明かりをつけた。そしてものの見事にインチキが見破られたのだ。

新聞各紙は一斉にこの事件を報じた。バスチアンの後見人ヘレンバッハ男爵が『ニューヨーク・ヘラルド』のウィーン特派員のインタビューに答えて、たしかにあの時はインチキだったが、だからといって、それ以前に、バスチアン氏がやってみせた数々の超常現象を否定する根拠とはならない、と負け惜しみを言ってみたが後の祭りであった。

さて新聞各紙の中でいちばん詳細に事件を報じたのは、翌日二月十二日付の『新ウィーン日報』である。記事は詳細どころか、どうみてもその場に居合わせたもの、しかも前々からバスチアンの仮面を剝ぐべく準備周到にしていたものでなければ書けない代物であった。匿名記事ではあるが掲載紙からいって記者は皇太子に間違いなかった。

その掲載紙『新ウィーン日報』とはどんな新聞か。「通俗的で自由主義に偏向したユダヤ系ドイツ人の日和見主義的ブルジョア新聞」とは在ウィーンのドイツ大使の分析である。ブルジョアからプチブルと読者層が広く、一時は発行部数も競合紙『新自由新聞』を凌駕《りょうが》していた。だがこの年、この新聞は苦境にあった。当時、新聞売り子は認められず、新聞はタバコ屋でしか販売を許されなかったが、『新ウィーン日報』は前年、オーストリア政府首相ターフェによりそのタバコ屋での販売を禁止されたのである。この処置はドイツの宰相ビスマルクの意向を受けてのものであった。

ビスマルクはなにを恐れたのか? 『新ウィーン日報』編集主幹モーリッツ・セプスはプロイセン・ドイツを蛇蠍《だかつ》の如く嫌う親フランス派である。セプスはフランスの政治家クレマンソーと親交があった。第三共和制の下、急進派のリーダーとして

「虎」のごとく吠え、ドレフュス事件をゾラとともに戦い、第一次世界大戦中には首相として祖国の危機を乗りきったあのクレマンソーである。親交どころかセプスの娘はクレマンソーの弟と結婚している。しかし、これだけではなにも鉄血宰相が内政干渉まがいのことをしてまで乗り出すまでもないことだ。ビスマルクはセプスの背後にいる人物を懸念したのだ。皇太子ルドルフである。この時ルドルフは二十五歳。同世代のドイツ皇太子ヴィルヘルムよりはよっぽど聡明である、とビスマルクは見ていた。しかし父帝フランツ・ヨーゼフ一世は皇太子が政務に口を挟むことをいっさい許さず、息子を完璧《かんぺき》に「安定世界」の中に閉じ込めたままにしていた。

この「籠の鳥」ルドルフの目となり、耳となり、舌となったのがセプスである。ビスマルクの懸念通り皇太子は親フランス派となり、反ドイツ思想を構築していく。

「ですが閣下！　この国では皇太子の政治的権力はいっさいございません」というウィーンからの報告にビスマルクは「そんなことは百も承知だ。しかし皇太子はやがてオーストリア帝国の皇帝となるのだ！」といら立ちを隠そうとはしなかった。

ともあれ、皇太子は自分の機関紙ともいうべき『新ウィーン日報』にことの顚末《てんまつ》を書いた。しかしなぜ「やがてはオーストリア帝国の皇帝となる」皇太子が一介の霊媒師の仮面を剝ぐのにこれほどむきになったのか？　当時、ダーウィンの進化論を通じて、人間は法の前では平等であるという自由思想を育んできたルドルフは、人間の進歩を阻害するような降霊会ブームがそんなに我慢ならなかったのか？　それにしても他にやることがなかったのか？　もっともそれだけウィーン政府の皇太子封じ込めが鉄壁であった証左かもしれない。父帝フランツ・ヨーゼフ一世も今度ばかりは余裕をもって息子のこの「快挙」を上機嫌で褒《ほ》めあげている。

しかし、この「快挙」を激越な調子で批判したものがいる。彼は皇太子が『新ウィーン日報』と手を組んで巻き起こしたこの事件を皇太子が自分に向けた挑戦と取った。事実、皇太子は相棒のヨハン大公に「もちろん、例のまことに慈しみ深い父の如き御方の教え諭《さと》されるような有り難い御説教は覚悟のうえさ」と書き、かのお人がご立腹召されるだろうことはすでに織り込み済みであった。かのお人とはアルブレヒト大公である。

ずっと後に「アルブレヒト大公が死んだ時、我々大公たちはこれでフランツ・ヨーゼフ帝がやっとハプスブルク家の第一人者になったのだ、と感じたものだ」とある大公をして言わしめた人物である。皇太子の教育係でもあり、ハプスブルク家の若い世代の動きに目を光らせる大目付でもある。骨の髄まで保守主義者であり、ハプスブルク家の生んだ軍事の天才でもある。普墺《ふおう》戦争の時、オーストリア南部軍を率いクストツァの戦いで完膚なき勝利を得、「クストツァの勝者」とたたえられる。

皇太子との関係はこうだ。「皇太子はアルプレヒトが拒絶するものすべてに夢中になった。民主主義、議会政治、宗教上の寛容、王権神授の代わりに国民主権、王朝の孤立の代わりに民衆との接触」（B・ハーマン）。共通点はたった一つ、反ドイツ思想。もっともアルプレヒト大公は親フランスでなく、親ロシアである。二人の間には千里の逕庭《けいてい》がある。そして大公はビスマルクのように皇太子がやがては皇帝になるということなど眼中になかった。「政治とは可能性の術である」とビスマルクは言ったといわれているが、アルプレヒト大公にとって皇太子との対立は政治の問題でも毫《ごう》もなかった。ことは信仰にかかわるのだ。かくして大公は皇太子をひたすら抑えつけたのだ。フランツ・ヨーゼフ帝も息子よりも大公に全幅の信頼を置いていた。

ところで大公の信仰とは？　使徒皇帝陛下を戴く君主一族、すなわち神に選び抜かれた我がハプスブルク家が五千万臣民を統治する。したがって、憲法も議会もいらない。帝冠と王冠があるだけだ。ハプスブルク家当主の数ある称号の中にエルサレム王がある。遠く十三世紀の神聖ローマ帝国皇帝フリードリヒ二世以来の伝統である。もちろん、領地もなにもない。だが聖地エルサレムの王を名乗ってこそ我が族長は使徒皇帝陛下となる。その後を襲うべきものが、ダーウィンの進化論にかぶれ、自由主義的ブルジョア新聞と手を結び馬鹿騒ぎをしている。許せぬことだ。

こうした「非合理故に我信ず」というアルプレヒト大公の絶対の信念の前に非力な皇太子ルドルフは当然の如くつぶされてしまう。大公は己の存在理由を求める皇太子のいっさいの動きを封じ込めた。降霊会騒ぎも許さない。これは精神の殺戮《さつりく》でもある。皇太子は五年後の一八八九年の情死への道をひた走りに走るしかなかった。同年一月、皇太子が「やがてはオーストリア帝国の皇帝となる」こともなく情死した時、アルプレヒト大公による皇太子暗殺という噂《うわさ》が流れた。根も葉もない噂だが、この情死事件が政治的信仰の問題に端を発した一種の政治的嬰児殺しであることは確かだ。

マチルデ大公女

プリンセス焼死

「お酒はいいとして、タバコはやめたほうがいいでしょう」とハンサムな若い医者が言う。胃潰瘍《いかいよう》寛解（治癒ではない）で退院の日である。女房は細い目をいっぱいに開いて頷《うなず》き、こちらを肘《ひじ》で小突く。仕方なく「はい、そうします」。しかしそれでは、「肺炎ごときでタバコをやめるなんて、お前も意志が弱いな」と、禁煙した友人の顔に紫煙を吹きかけたあの私はどこへ行ったのか。どこにも行きはしない。

翌朝、さっそくキオスクで買って、一服する。途端に猛烈な吐き気がし、頭がくらくらした。しかし妙に気持ちがいい。罪をいとおしむような感じだ。これがドラッグ感覚かと馬鹿なことを思い、それでもホームから落ちるのが怖いのでベンチに座った。するとゆくりなくもタバコで命を落としたハプスブルク家のプリンセスのことが思い出されてきた。

一八六七年五月二十六日付の『バーデン週刊新聞』に第一報が載った。「マチルデ大公女、ヴァイルブルク城で大けが！」。しかし詳報・続報はない。恐らくどこから圧力があったのだろう。大公女は数多《あまた》ある大公家の中でも飛びきりの名門の姫君なのである。事実、この時彼女はサルジニア・ピエモント王国のウンベルト皇太子（後のイタリア王）と婚約中であった。

重傷を負った大公女はただちにウィーンのヘッツェンドルフ城に移され、治療を受けた。まず、火傷《やけど》の部分をゴーラルド水、鉛軟膏、亜麻仁油で拭《ふ》き取る。包帯は毎日変える。激痛が走る。焼けた表面組織は手術で除去する。皮下組織の炎症は例によって瀉血《しゃけつ》で抑えようとする。しかし「いっさいが無駄であった。六月六日、マチルデは地獄の苦しみから解放された」（T・ライトナー）

彼女のけがとは火傷であった。ライトナーによるとこのプリンセスは黒髪でオリエンタルなしとやかさがあり、一種独特の雰囲気を醸《かも》し出していたという。たしかに写真を見る限りそうだ。ちょっと、顎《あご》がしゃくれているがまあ美形に入るだろう。そんな姫君がなぜ火傷を負ったのか。

はっきりした日付はわからないが、一八六七年五月十七日から二十四日までのある一日、マチルデ大公女はバーデンのヴァイルブルク城で観劇に出掛けるために身づくろいをしていた。お召し物は下がふわりとしたワンピース・ドレス。素材はインド・モスリンで、「布地にふくらみを持たせるために可燃性のグリセリンが注入されていた」（T・ライトナー）。さて、支度はすんだ。そこでプリンセスはタバコを取り出した。タバコ？　ここはフランスの宮廷ではない。オーストリアの宮廷である。ハプスブルク家の宮廷といえば繁文縟礼《はんぶんじょくれい》が通り相場である。そして今上帝フランツ・ヨーゼフ一世は官僚主義の権化といわれ、謹厳実直一点張りの人物である。女がタバコを吸うとは！　しかもハプスブルク家のお姫様が！　この時大公女は芳紀まさに十八歳！　ずいぶんと進んだプリンセスだったのだろう。

ともかくタバコに火を点けた。するとドアの向こう側で足音がする。この部屋に真っすぐ向かっている。「あの足音は間違いなくお父様！」彼女は慌ててタバコを隠そうとして手を後ろに回した。息を殺した。しかしタバコは生きていた。火がドレスに燃え移る。なにしろグリセリン入りである。あっというまに火だるまとなる。後は上述の通りだ。

ともかく、火傷の原因はタバコの火であった。そして若いプリンセスのこのちょっとしたいたずらを痛ましい悲劇に変えたのは足音だった。大公女はドアの向こうの「お父様」の足音に脅《おび》えるあまり自ら死を招いたのである。その際その足音が本当に

「お父様」のものであったかどうかは分からない。問題は足音を「間違いなくお父様！」と思った瞬間、彼女は死の坂を転げ落ちていった、ということだ。

「お父様！」とはアルプレヒト大公である。だとすると大公女の「お祖父様」はカール大公となる。百戦百勝し、不敗神話をほしいままにしていた頃のナポレオンをアスペルンの戦いで破った名将である。「アスペルンの勝者」と謳《うた》われ、国民の英雄となる。そのため兄である当時の皇帝フランツ一世とその重臣たちに疎《うと》まれ、遠ざけられた。それでも誰を恨むでもなく、軍事学の著作に没頭し、淡々とした隠遁《いんとん》生活を送った。孫娘が奇禍にあった時はすでに鬼籍に入っていた。

さてそれでは、「お父様」アルプレヒト大公。「クストッツァの勝者」。アルプレヒト大公に奉られた異名である。大公は普墺戦争の時、オーストリア南部軍を率い、プロイセンと結んだイタリアをクストッツァの戦いで完膚なきまでに打ち破った。しかし戦争全体はオーストリアの敗戦であった。そういえば、父カール大公のアスペルンでの勝利も局地的なものにすぎなかった。つまり、この親子はいずれも負け戦《いくさ》での「勝者」であったのだ。だがいずれにせよ、この親子鷹がそろって「ハプスブルク家が生んだ最大の軍事的才能の持ち主」（E・フリーデル）であったことは間違いない。ただし、息子は父のように国民的人気を博すことはなかった。逆である。

マチルデ大公女の「お父様」アルブレヒト大公

一八四八年三月の革命騒ぎの折、軍に民衆デモへの発砲命令を下した張本人であり、オーストリアの嫌われもので通っていた。さらに息子は父のように権力の中枢から遠ざけられることはなかった。逆である。「彼（＝アルプレヒト大公）が死んだ時、我々大公たちはこれでフランツ・ヨーゼフが初めてハプスブルク家の第一人者になったのだ、と感じたものだ」と、ある大公が後に書いている。アルプレヒト大公は皇帝フランツ・ヨーゼフ一世が最も信頼する大公としてハプスブルク家の保守派を代表し宮廷内で睨《にら》みをきかしていたのである。

こんな「お父様」だ。女がタバコを吸うことを許す筈がない。それでもプリンセス・マチルデはタバコを吸った。しかし彼女は女子禁煙令に表れた「お父様」の価値観は簡単に無視できたが、「お父様」の権威そのものには抗《あらが》えず自ら悲劇に落ちた。しかもよりによってこの時期に。この年、オーストリア・ハンガリー二重帝国が発足した。前年、帝国は宿敵プロイセンに負けた。この敗戦に乗じてハンガリーは帝国からの完全独立を要求したのだ。抑えられない。屈辱的な「妥協」をするしかない。それが同君連合王国という二重体制である。双頭の鷲は一つの帝冠を戴いてこそ至高の存在となる。それが二つの頭にそれぞれ違った冠が戴ければ、滑稽《こっけい》以外のなにものでもなくなる。中心の喪失は「価値真空状態」（H・ブロッホ）を呼ぶ。

こんな二重帝国発足の時、ハプスブルク家の一人プリンセスが禁じられた遊びにふけり焼死した。いかにも帝国の行き先を暗示しているかのようである。価値観の崩壊。至高の存在であるハプスブルク王朝の没落。恐らく「お父様」アルプレヒト大公はこれに気が付いた筈である。だからこそ大公は価値真空が生む無為な精神を唾棄《だき》したのだ。否、大公にしてみれば無為な精神が価値の真空を生み、使徒皇帝陛下を戴く我が君主一族を脅かすのであった。この時の大公の頭の中では無為な精神とはリベラルな思想と真っすぐに繫《つな》がるのである。

かくして娘の死が大公に与えた教訓とは、皇太子ルドルフをはじめとするリベラルな思想に染まった一族の若い世代の動きを徹底的に封じ込めることであった。

こうして動きを封じ込められた皇太子ルドルフは一八八九年、マリー・ヴェッツェラ男爵令嬢と心中する。この心中は実はアルプレヒト大公による皇太子暗殺事件なのだ、という噂が流れた。そのルドルフの遺骸がハプスブルク家の霊廟カプチーナ教会に埋葬される時大公はこんな噂に挑戦するかのように平然とこう言ってのけた。「かのマリア・テレジア女帝陛下が御自らの柩《ひつぎ》の中でこの様子をご覧になれば、恐らく陛下は立ち上がり、こう仰せになられるだろう。いいや、ルドルフ！　ここはお前の来る所ではないのだ、と」

であるならば、公平無私なる女帝陛下のことだ。タバコで命を落としたプリンセスの埋葬の際にもきっと同じことを言われた筈だ。プリンセス焼死も皇太子情死に劣らずハプスブルク家にとって禍々《まがまが》しい死であったからである。それかあらぬか二人の柩は、ともに女帝陛下の安眠を妨げることがないようにマリア・テレジアの柩からは死角となった場所に安置されている。これはひょっとしたら、二人の死に深くかかわったアルプレヒト大公が命じた処置かもしれない。

ハプスブルク家の女たち

一九八九年三月十四日、スイスのヨハネス修道院で一人の黒衣の老婆が息を引き取った。享年九十六歳。彼女が黒衣に身を包んだのは一九一八年。以来七十一年の亡命生活を送った。その間、彼女は自分が嫁いできた王朝がすでに崩壊してしまったという厳然たる事実をいっさい無視し、ともかく生き抜くことだけを念じてきた。なぜなら「奪われた王座を奪回することが神が彼女に与えたもうた至高の義務」（J・レスリー）であったからだ。しかしその彼女もついに生き永らえること叶《かな》わず、一つの歴史が終わることになった。すなわちオーストリア帝国最後の皇妃ツィタの死によりハプスブルク王朝は七百年の歴史をようやく終えたのだ。

皇妃ツィタ。烈女といってもよい。夫であるラストエンペラー、カール一世を精力的に支える。第一次世界大戦の折、王朝存続のために早期平和を願い、同盟国ドイツ

戴冠式に臨むツィタと嫡子オットー

からの離反を画策し、失敗。ドイツ民族主義者に「イタリアの裏切り女」と罵《ののし》られる。亡命後、夫を、あなたはオーストリア帝国皇帝は退位したが、ハンガリー国王の地位まで放棄したわけではありません、という理屈でたき付け、ブダペストで復位運動を起こす。西欧列強はまるで相手にしなかった。しかし現実を認めない、つまり諦《あきら》めないこと。これこそがハプスブルク一族の鉄則である。夫の死後も彼女は世界中を駆けめぐり、ハプスブルク家再興という見果てぬ夢を見続けたのだ。「ハプスブルク家の女たち」の最後を締め括るのにいかにもふさわしい女性であった。

　さて、最後があれば最初がある。「ハプスブルク家の女たち」の最初はゲトゥルト・フォン・ホーエンベルク。彼女は、夫のルドルフ・フォン・ハプスブルクが一二七三年ドイツ王になりハプスブルク王朝を開くと同時に、王妃アンナと呼ばれるようになった。ルドルフ同様に実に逸話の多い女性である。一例挙げてみる。ルドルフの宿敵、ボヘミア王オタカル二世が戦いに斃《たお》れ、その哀れな遺体が剝き出しのままウィーンに運ばれてきた時、慈悲深い王妃アンナは敵将の亡骸《なきがら》を包むようにと真紅の布を差し出した……。彼女の逸話はドミニコ会士によって広められたものがほとんどで大体がこんな風に抹香臭い。しかし彼女が「ハプスブルク家の女たち」の一番手に相応しいとすれば、それはこの種の逸話の多さよりもなによりも、新しい王朝を開いたばかりの夫に十人の子供をプレゼントしたことにあるだろう。国家の安定を築くのにこれほどの武器がまたとあろうか。

ルドルフはこれらの駒を駆使して、バイエルン、ザクセン、ボヘミア、ハンガリーと政略結婚の網を広げていった。「他の奴らには戦争をさせとけ、オーストリアよ、汝は幸せな結婚をするがよい！」。ハプスブルク家のお家芸、結婚政策はこうして始まったのだ。以来、七百年、「ハプスブルク家の女たち」は最後の皇妃ツィタにいたるまで皆一様に王朝の永続という崇高な理念、否、強迫観念にその身を委ねて他家に嫁ぎ、かつ他家から嫁いできたのだ。例外は同家唯一の女帝マリア・テレジアただ一人であろう。

ところで一口に政略結婚といっても、いくつかのバージョンがある。家領の拡大が第一に叫ばれていた王朝の草創期、政略結婚の鍵を握るのは二重結婚とそれに伴う相続契約である。例えば我が家には息子と娘がいる。狙いを定めた家にも息子と娘がいる。二組の夫婦が生まれる。そしてどちらかの夫婦が子を儲《もう》けずに家が途絶えた時、もう一方の夫婦はその財産をそっくり受け継ぐのである。これは両家に平等の契約である。どちらにも相手の家領そっくりいただくチャンスがある。しかし大事な節目節目に賭《か》けの女神はハプスブルク家に微笑《ほほえ》んだのである。「神に選び抜かれたハプスブルク家」という神話が生まれたゆえんでもある。

とはいっても、王朝の始祖ルドルフがボヘミアを相手に仕組んだ二重結婚政策はそう都合よくは運ばなかった。二代目アルプレヒト一世が父の計画を引き継ぐが、これも目論見《もくろみ》通りにはいかなかった。だが、アルプレヒトは十一人の子をもつ子福者である。そのうち女児は六人。彼はボヘミア以外に次々に政略結婚の網を打った。ハプスブルク家安泰のためである。

そんな父王の意をくんで次女アグネスはハンガリー王家に嫁いだ。しかし結婚わずか五年で夫、アンドレアス三世はこの世を去る。二人の間には子供ができなかった。夫の先妻の娘エリザベトがいるだけでアールパード家の男系は途絶えた。ハンガリー王位を狙ってエリザベトに求婚者が群がった。自分の実家に適当な候補者がいないと見るや、アグネスはまだうら若い継子エリザベトをドミニコ会派の修道院に幽閉してしまう。そして王の未亡人として権勢を振るう目論見が外れると、莫大な資産をもって実家に戻った。

一三〇八年五月一日、父王アルプレヒト一世がハプスブルク家発祥の地ヴィンディッシュで甥のヨハン・パリチーダに暗殺された。ドイツ史でいう「暗黒の日」である。アグネスは怒り心頭に発し、自らこの「肉親殺し」の追及にあたった。それは情け容赦のない激しさであり、一説によるとアグネスの復讐の刃は暗殺者一派に繋がる嬰児たちにまで向けられたという。ともあれ、このように断固たる処置を取ることによって、アグネスはハプスブルク家の若い世代の間に畏《おそ》れ、敬われることになり、晩年は同家の政治顧問のような立場で隠然たる勢力を敷くようになる。

ハプスブルク家の二重結婚政策が最高にうまくいったのは中世末期、マクシミリアン一世の時代である。帝の狙いはことごとく当たった。彼の手駒は娘マルガレーテと孫娘マリアの二人である。まずマルガレーテ。三歳の時フランス王太子、後のシャルル八世と婚約。ところが十年後、花婿となる筈であったシャルル八世が、父帝マクシミリアンの再婚相手に決まっていたアンヌ・ブリュターニュを掠奪同様にして結婚し、先の婚約を解消してきた。つまり父娘ともにフランス王家に恥をかかされたわけである。しかし父娘はここでめげることはなかった。

それではと、こんどはスペイン王家と手を結びフランスを挟み打ちにする。マルガレーテはスペイン皇太子ファンと、マクシミリアンの長男フィリップ美公はスペイン王家次女ファナとの二重結婚が成立。やがて皇太子ファンは身籠もったマルガレーテを残して早世する。そしてその赤ん坊も、一度も産声をあげることなく父の所に身《み》罷《まか》った。このことが後のハプスブルク家スペイン領有に繋がるのだ。この後マルガレーテはサヴォイ公に嫁ぐが、やはり先立たれる。やがて父帝の意を受け、母の遺領ネーデルラント経営に辣腕《らつわん》を振るい、ヨーロッパ最高の外交官とまで謳われるようになった。

このマルガレーテの後を襲ったのが彼女の姪《めい》マリアである。祖父帝マクシミリアンがハンガリー王家と結んだ二重結婚の一方の当事者である。首尾よく(?)子を儲《もう》けず寡婦となる。おかげでハンガリーはハプスブルク家のものとなる。ともあれ、マリアはネーデルラント経営に叔母同様に才覚を発揮した。そしてなんといっても二人の兄、カール五世とフェルディナント一世の仲を取りもち、兄弟喧嘩を未然に防いだのは特筆に価する。

さて、アグネスは王朝草創期に、マルガレーテ、マリアの二人はその王朝がいまにも世界に羽搏かんとする時に他家に嫁いだ。そのせいか、彼女たちの政略結婚には哀話がない。彼女たちは生家の興隆を肌に感じ、その熱気を吸いながら、知らず知らずに「ハプスブルク家の女」としての使命感とプライドを裡《うち》に育てていったのである。彼女たちにとって嫁ぐとは実家を代表する大使として婚家先に赴くことであった。ひたすら実家の利益を代表することであった。こんな娘が育つ家はやはり強い。

政略結婚には王朝の危機に、娘を人質に差し出してその場を凌《しの》ぐ、というバージョンもあった。かのマリー・アントワネットはこうした「売られた花嫁」の一人であろう。しかしなんといってもその典型はマリー・ルイーゼだ。「陛下の御姫君マリー・ルイーゼ大公女にフランス皇帝ナポレオン一世のもとへお輿《こし》入れいただくことこそが、我が国の危急を救う唯一の道かと思われます」というメッテルニヒの進言により、マリー・ルイーゼは一八一〇年軍神ナポレオンに嫁いだ。そして呟《つぶや》いた。「私こそがこの結婚になんの喜びも感じない唯一の人となるでしょう」と。やがてナポレオンは没落。彼女は遺児ナポレオン二世を抱いて実家ウィーン宮廷に戻った。だからといって哀話にはならない。それにはマリー・ルイーゼは奔放すぎたのだ。息子を残しウィーンを離れ、勝手気ままに暮らし、私生児を産み、結婚を繰り返す。父帝フランツ一世の怒りを買ったほどである。もっとも、それもこれも、永続という理念を振りかざし我が身を翻弄した王朝そのものへの必死の抵抗と読めなくもないが、果たしてどうか。いずれにせよ悲劇のヒロインにはなりにくい。

一門が興隆していく時の興奮も冷め、やがて現状維持に躍起になり、さらに先細りになると、貴種は貴種としての特性をいよいよ露《あら》わにしてくるものだ。つまりは没個性に陥る。青い血は青い血とだけ交わり、貧血性気味のたおやかなプリンセスが陸続と生まれてくる。彼女らの大多数は王家に生まれ落ちた運命を甘んじて受け、「他家に嫁いで初めて人となる。そして寡婦となってようやく自立する」（T・ライトナー）。こうなると哀話ばかりでかえって面白くない。

それでは他家から嫁いできた「ハプスブルク家の女たち」に目を向けてみよう。まず烈女二人。

ヨハンナ・フォン・プフィルト。神君ルドルフから数えて四代目の当主、アルプレヒト二世公の妃である。もっとも、嫁いだ当時夫はまだ当主ではなかった。その見込みもなかった。ところが三人の兄の相次ぐ早世により一門の長となる。その時彼に異変が起きた。腕と膝が突然麻痺《まひ》したのだ。どうやら毒を盛られたらしい。以来彼は「不具公」と呼ばれる。この時公夫妻には子供がいない。ハプスブルク家断絶が囁《ささや》かれる。しかしヨハンナはこの危機を救った。三十九歳という高齢で男の子を産んだのだ。もちろん、この思わぬ出産にはある種の噂がしきりに飛び交った。しかし彼女はびくともしない。続いて五人、子供を産む。最後の出産は実に五十一歳である。ある種の噂はついに尻尾をまいて逃げ出してしまった。高齢出産を繰り返す間を縫って、彼女は歩行もままならぬ夫に代わり家領を見回った。オーストリア周辺の一円支配を確立するための旅だ。それだけではない。当時のお家の宿敵ルクセンブルク家に外交使節として出向き、平和協定を結んでしまう。そのための旅は贅《ぜい》を凝《こ》らしたもので、金をふんだんに使った。

現存する彼女の肖像画は「外観からしてすでに近代的雰囲気のある男勝りの女として描かれている」（H・アンディクス）。そしてよく見ると下唇が厚ぼったく突き出ている。ここから「ハプスブルク家の下唇」と呼ばれる同家の特異な相貌をもち込んだのは彼女であると言われてきた。ところが一九八五年、数百年ぶりに彼女の墓が開かれた時、「彼女の下顎の骨はこの種の奇形を起こすほどの解剖学的奇形をいっさい示していなかった」（『プレッセ』）ことが分かった。ともあれ、彼女の内助ならぬ外助の功は夫アルプレヒト公に「不具公」の他に「賢公」という輝かしい異名を授けたのである。しかしそれにしても、十四世紀という王朝草創期とはいえ、すごい嫁が嫁いできたものである。

「ハプスブルク家最初の下唇」というヨハンナにかかった嫌疑が晴れると、次に疑いがかかったのはヨハンナの孫エルンスト鉄公の妃、シムブルギス・フォン・マゾーヴィエンである。この時代、ハプスブルク家はアルプレヒト賢公が遺《のこ》した家内法も虚しく系統分裂の時代に入っていた。「兄弟喧嘩」も絶えず、家領内は混乱を極めていた。野心家のエルンスト鉄公はポーランド王家と結ぶことによって他の系統を圧倒せんとした。こうしてポーランド王の姪シムブルギスが嫁いできた。インスブルックにある彼女のブロンズ立像を見ると、堂々たる体軀《たいく》の女性である。そしてなるほど顎が突き出ていて「強い意志と大胆さを暗示させるものがある」（B・リル）。

彼女にまつわる有名な逸話とは、素手で釘を打ち込み、蹄鉄を折り曲げた話である。祖父の代まで異教徒の家系であったせいか、かえって異様なまでに信心深く、聖地巡礼を欠かさなかった。ただし、巡礼にしてはその身なりがあまりにも派手で顰蹙《ひんしゅく》を買ったという。エルンスト鉄公に九人の子供をプレゼントする。これが大きかった。子はまさに宝、猖獗《しょうけつ》を極めた系統分裂も結局は鉄公の家系だけが生き残ったのだ。カール五世の世界帝国はこの家系から花咲いたのだ。つまりシムブルギスは近代に入っての「ハプスブルク家最初の女」ということになる。

ところで世界帝国とはしょせん、自然の摂理に反するものである。再び系統分裂が起きる。とはいっても先の分裂とは分けるパイが段違いに大きい。スペイン系、オーストリア系それぞれ列強としてヨーロッパに君臨し、安定する。そうなると王朝理念は厳格さを増し、血統順守が叫ばれる。王族の血以外は一滴たりとも入れてはならぬ！　こんな中で貴賤婚を貫くにはよほどの「運命愛」がなければならない。一九一四年、サラエボで銃弾に斃れたフェルディナント皇太子夫妻が有名だが、ここではもっと可憐な例を紹介しよう。

その「運命愛」は一五四八年アウクスブルクで生まれた。皇帝の次男フェルディナント大公は同市でフッガー家と並ぶ豪商ヴェルザー家のフィリッピーネに恋をした。スリムな肢体に金髪、透き通るような白い肌、涼やかな目。大公は恋を育《はぐく》み九年後、彼女と秘密結婚をする。二年後、父帝に知られる。寛容な父帝は黙認はしてくれたが、息子の嫁には生涯会おうとはしなかった。それでも身に余る光栄であった。彼女は大公の愛に必死に応えた。当時の滅茶苦茶な食生活を改善し大公の健康管理に気を配る。彼女が残したレシピはいまでも料理ブックに載っている。

二人の結婚が世間に知れた時、初め領民は冷笑したが次第に彼女を崇拝するようになった。空位になったポーランド王位を差し出されたとき大公は決然と断った。彼女を手放せなかったのだ。フィリッピーネは「この世のあらゆる王冠に勝る」（グレースィング）と人々は語り合った。

ところが、時が移ると、この王冠をひたと狙って一人の女傑が嫁いできた。しかも夫となる人物のではなく、まだ生まれてもいない息子の王冠をである。王朝末期の十九世紀、ゾフィーは隣国バイエルンから母后になるためにハプスブルク家にやって来た。夫のカール大公は凡庸で頼りにならない。大公の兄で時の皇帝フェルディナント一世は、愚帝で嗣子のできる見込みもない。衰退するハプスブルク家を立て直すのは我が息子しかいないではないか！　ゾフィーはこの一点にすべてを賭けた。「気の抜けたウィーン宮廷の中で一人煮えたぎっている唯一の男」と言われた彼女である。その鉄の意思を遮《さえぎ》るものはなにもない。一八四八年ウィーン革命で彼女の好敵手、宰相メッテルニヒが失脚し、同時にフェルディナント帝も退位した。彼女は夫のカール大公にも継承権を放棄させた。いよいよ彼女が手塩にかけて育て上げ、自ら帝王学を施したわが息子フランツ・ヨーゼフ一世の登極《とうきょく》である。

即位後、息子が採った政策とは革命の圧殺と新絶対主義の確立である。そしてそれらはすべて「一八五〇年代のオーストリアの影の女帝であった全く不人気のゾフィー大公妃の仕事」（B・ハーマン）であった。これほど息子は母の言うことならなんでも聞いた。彼が生涯、一度だけ母の意向に逆らったのは妃選びの時であった。青年帝が選んだ妃はエリザベト。絶世の美女でやはりバイエルン王家の出である。母后と皇妃は伯母、姪の関係にあたる。

しかしこんな血の繋がりは嫁、姑《しゅうとめ》の関係をこじらせるだけだ。そして姑の力は圧倒的に強い。皇妃としての、さらには母としての務めも姑に取り上げられた嫁は、ウィーン宮廷にいる場所が見つからずしきりに旅に出た。旅にあって彼女は、姑を夫を、時には子供をも忘れ、精神的外傷を癒すのである。夫のフランツ・ヨーゼフも妻の不在をかこちながら、この療法を認めざるを得なかった。

かくしてエリザベトは「流浪の皇妃」となる。そんな時だ、姑ゾフィーの次男マクシミリアンがメキシコで非業の死を遂げた。ゾフィーのエネルギーはたちまち消え失せ、ファーストレディーの座をようやく嫁エリザベトに譲った。まもなくゾフィーは亡くなり、その二十数年後、エリザベトは暗殺される。そんな嫁、姑の戦いを間近に見てきたフランツ・ヨーゼフはなお永らえ、一九一六年、六十八年間の在位をもってこの世を去った。その二年後、ハプスブルク家は崩壊する。そして「ハプスブルク家の女たち」を締めくくる最後の皇妃ツィタの亡命生活が始まり、かくして話はこの小文冒頭に戻る。戻れば話は円環し、閉じられる。ただしその前に一言。

この小文が女傑列伝風になったのは、私が平素、パワー溢れる女性に敬意を抱いているせいである。だが、女傑といえば、なんといってもマリア・テレジアである。途《と》轍《てつ》もなく大きい。とても列伝に入りきれない。マリア・テレジアにはあえて触れなかったゆえんである。

ハプスブルク家とその周辺

ハプスブルク家とその周辺を彩る十人の英雄

一、フリードリヒ一世　―赤髭王―

わが王権は神より授けられたものであり、決して神の代理人よりではない。であるならば、イギリス生まれの代理人ハドリアヌス四世に臣下の礼をとる必要はさらさらない。かくして彼は教皇のために手綱と鐙《あぶみ》を取ることをいったんは拒んだ。教皇は気色ばむ。よろしい、戴冠式は取り止めだ、と。教権と帝権の血みどろの戦いが再び勃《ぼっ》発《ぱっ》するのか。やむなく彼は手綱と鐙を取った。ただしちょっとばかし強く。すんでの所で教皇は鞍《くら》から振り落とされるところだった。ともあれ、数日後、教皇は彼、フリードリヒ一世バルバロッサ（赤髭王）の頭上に神聖ローマ帝国皇帝（ドイツ帝）冠を載せた。一一五五年のことである。

この逸話が示すようにバルバロッサは我が「神聖なる帝国」を「聖なる教会」から

完全に独立させせんとした。それが帝国での皇帝権力再建に繋《つな》がるからである。先帝コンラート三世は「坊主王」とあだ名されるくらい教会勢力には終始弱腰で、あげくに帝国諸侯の群雄割拠を招いた。彼の唯一の功績は帝権を息子にではなく甥のバルバロッサに譲ったことである。バルバロッサの使命は伯父のツケを払うことである。まず貨幣経済で潤《うるお》う北イタリア諸都市を抑えることだ。しかし手強い。「臣従の誓いはしたが、その誓いを守る約束をした覚えはない」という古都の市民独特の流儀に愚直なまでに誠実な彼は何度も煮え湯を飲まされた。

顧みてドイツ国内。従兄弟でもある宿敵ハインリヒ獅子公が帝国東部で覇道専横をほしいままにしている。要するにバルバロッサは八方塞《ふさ》がりであった。それでも彼は巧まざる天性の人心収攬《しゅうらん》の術で次々と難局を突破。獅子公を破り、曲がりなりにも帝権を確立した。

こうしてバルバロッサは第三回十字軍の先頭に立つことができた。一一九〇年、七十歳近い時である。六月の暑い盛り、十字軍は小アジアのサレフ川にさしかかった。彼は涼を取らんと水に飛び込んだ。そして死体で浮かび上がった。

これが恩威相並ぶ王道をひたぶるに歩み、ドイツ封建騎士の誉《ほま》れと謳《うた》われた帝王の死である。否、民衆は信じた。帝は地底の城の象牙《ぞうげ》の椅子《いす》にただ眠っているだけで、いつの日か再び現れる！　と。

二、マクシミリアン一世　—中世最後の騎士—

負け続け、金庫は空っぽ。でも斃《たお》れない。斃れさえしなければ、例え六フィート平方足らずの領地しか残っていなくても、自分はドイツ帝なのだ。要は敵よりも長生きすることだ。これがフリードリヒ三世の生涯を賭けたクレド（信条）であった。こうして彼は絶体絶命の時ですらA・E・I・O・U（地上のすべてはオーストリアのもの）という呪文を唱え続けた。

この呪文を霊験あらたかとしたのが彼の息子マクシミリアン一世である。父の衣鉢《いはつ》を継ぎ、父以上に粘り強く戦い続けた。身は常に戦場にあった。敵はフランス、ローマ教皇、イタリア諸都市、最初の妻の遺領ネーデルラント諸都市、息子の嫁の実家スペイン、海を越えたイギリス、異民族ハンガリー、異教徒トルコ、そしてなんといってもドイツ国内諸侯。同盟、寝返り、離反。昨日の敵は今日の友、そして明日の敵。目も眩《くら》むパズルさながらである。一日とて休む暇もない。無論、金庫は空のまま。豪商フッガー家への借金だけが増えていく。

しかしどことなくおおどかだ。父のように貧乏ったらしくない。僻《ひが》みっぽくもない。権謀術数を知りながら自ら裏切ることをしなかったからである。人事を尽くし、すべてを神の思し召しに委ねるその潔さは誰にも真似できなかった。「中世最後の騎士」と謳《うた》われるゆえんである。

だがマクシミリアンもまたその中世を吹っ切らんとした。彼の軍隊の中核はランツクネヒトという。南西ドイツ出身の兵士よりなる傭兵《ようへい》歩兵部隊である。ランツクネヒトは勇猛果敢に戦う。そして、ハプスブルクを主な顧い主とした。つまりランツクネヒトは、マクシミリアンが念願としていた常備軍一歩手前の軍隊であった。つまり中世の扉を開く軍隊であった。

そのランツクネヒトを擁しても八年にわたるヴェネチア戦争では屈辱的な「ブリュッセルの和」を結ばざるを得なかった。皇帝の権威は大いに失墜した。年も老いた。並み居る敵たちはハプスブルク家恐るるに足らず、と警戒を怠った。そこで老帝は死んだふりをし、敵を出し抜き、孫のカール五世を帝位継承者とした。そしてその孫は後にハプスブルク世界帝国を築く。最後に必ず騎士は勝つ！

三、ゼルトナー　―名もなき兵士たち―

スイスの英雄といえばウイリアム・テル。だが権威あるドイツ人名辞典にテルの名前は見当たらない。架空の人物だからである。例のリンゴを射落とした故事も、リュトリの誓いも伝説の話である。

しかし伝説は史実と通底している。一二九一年、森林三邦（ウーリ、シュヴィーツ、ウンターヴァルデン三邦）が結んだ「永久同盟」がその史実。東のハプスブルク家、西のサヴォイ家の支配から脱し、自治権を拡大するための軍事同盟（後に誓約同盟に発展）である。諸邦は鬼神の如く戦った。十四世紀のモルガルテンの戦い、センパッハの戦い。いずれもスイス農民兵はハプスブルク騎兵軍を蹴散らした。十五世紀、マクシミリアン一世の岳父、ブルゴーニュのシャルル突進公の怒濤《どとう》の突進もグランソンの戦いで撥《は》ねのけた。スイス農民兵、恐るべし！　ヨーロッパ列強は見方を変えた。彼らを味方につける。「傭兵」である。ヨーロッパの王侯は争って傭兵契約を結んだ。

かくして傭兵はスイス唯一最大の産業となる。アルプスの国スイスは当然、耕地が少ない。農家の次男、三男は山で鍛え上げた己が屈強な身体を売るしかない。少しでも良い条件を求めて各地の戦場を渡り歩く。これしか妻子を養う手立てがない。さる史家はこの傭兵産業を「血の輸出」と書いたが、まさにすさまじく、そして悲しい。

ところで古来、傭兵は金で転ぶ。スイス兵もそうだ。しかし彼らは自分たちを戦場に彷徨《さまよ》わせている痩《や》せた土地、我が祖国を限りなく慈《いつく》しんだ。ひとたび祖国防衛戦になると傭兵根性をかなぐり捨てて、命惜しまず、死力を尽くし、救国の英雄となる。十五世紀末、ドイツ帝マクシミリアン一世相手のシュヴァーベン戦争もその好例である。名もなき英雄たちは無類の強さを発揮し、帝を破り、帝国の軛《くびき》を断ち切った。

しかしそれで国が豊かになったわけではない。相変わらず貧しい。英雄たちは当たり前のように傭兵に戻る。スイスの血の輸出は十九世紀まで続いたのだ。

傭兵をドイツ語でゼルトナーという。この項は彼らスイスの名もなき英雄たちゼルトナーに捧げよう！

四、ヴァレンシュタイン　―王位を狙った男―

三十年戦争（一六一八～四八年）は中世にとどめをさした。本来は宗教戦争であったはずなのに、カトリックもプロテスタントもその肝心な信仰をほったらかしにし世俗の意思を貫いたからである。世俗は絶対主義の確立に邁進《まいしん》した。もちろん、だからといってヨーロッパの疲弊《ひへい》混乱に乗じて新しい王朝を建設することではない。それには時期が遅すぎもしたし、早すぎもした。だからこそ戦争の英雄ヴァレンシュタインはハプスブルク家の家祖ルドルフ一世にもなれなかったし、ナポレオン一世にもなれなかった。それが彼の悲劇であった。

「戦争は戦争によって栄養を摂る」ヴァレンシュタインの発見した原理である。彼は被占領国に課される軍税システムと輜重《しちょう》納入システムの創始者であった。以来、この二つのシステムは十九世紀のナポレオン戦争にいたるまで戦争遂行の要となる。つまりヴァレンシュタインは戦争をビジネス化し、経営したのだ。

だが総司令官は支配人であって決してオーナーではない。オーナーはあくまでもドイツ帝フェルディナント二世である。帝は「白山の戦い」以来の赫々《かくかく》たる軍功にむくいヴァレンシュタインに侯国を与えた。卓抜なる領地経営と二度の結婚で得た莫大《ばくだい》な持参金により皇帝軍元帥は帝に並ぶ権威をもった。当然、妬《ねた》まれ、疎《うと》まれ、そして罷免された。

しかしスウェーデン王グスタフ・アドルフの三十年戦争参戦により劣勢に立たされた皇帝軍は軍の指揮権を再びヴァレンシュタインに委ねる。元帥は麾下《きか》の将軍たちに絶対の忠誠を誓わせた。だがそれにしては元帥本人の動きがにぶい。それどころかプロテスタント諸侯と休戦の交渉を勝手に進めてしまう。長らく渇望された平和をドイツ民衆にプレゼントしようとしたのか。それとも出身地ボヘミアの王位を手に入れんとしたのか。謎である。後者とすれば反逆罪にあたる。

帝は裏切りと取り、ヴァレンシュタインの暗殺を命じた。忠誠を誓ったはずの将軍たちも彼から離れていった。そして皇帝に忠実な将校たちがこの一代の英雄を殺戮《さつりく》。彼が信仰していた占星術はこのことを予言できなかったのだろうか?

五、プリンツ・オイゲン　―高貴な騎士―

ライプニッツが自著『単子論』を捧げた相手は学芸の保護者で知られた大バロック人であるが、風采《ふうさい》の上がらない小男であった。だがよく見ると厳しい風雪に耐え抜いた武人の風格が滲《にじ》み出ていた。手、足、膝、頭、首、顔面に、戦いごとに矢あるいは弾丸がこの武人に降り注いだ。指揮官でありながら常に前線に身を置いた証拠である。勇将のもとに弱卒なし。彼の軍勢はセンタ、ペトロヴァラディン、ヘヒシュテット、トリノ、ベルグラード、ウデナルド、マルプラケ等々で戦いに戦い、勝ちに勝った。

この名将プリンツ・オイゲンは、もとはといえばフランス王家ゆかりの公子である。母とルイ十四世との深い関係から太陽王の落胤《らくいん》との噂《うわさ》も流れた。しかし太陽王はこの公子を見くびり、軍務にという切なる願いをにべもなく退け、僧職に就《つ》かせんとした。公子はパリを逐電、ウィーン宮廷の懐に飛び込んだ。

以来、三代の皇帝に仕えた。対トルコ戦争、スペイン継承戦争、ポーランド継承戦争での武勲は先の通りである。また官職売買禁止を始めとする軍改革を遂行。さらに政治家・外交官としてカール六世の皇帝選出に成功。まさに国の柱であった。ロシアのピョートル大帝がなにを狙ったのか、このハプスブルク家の柱石をポーランド王に推挙した時、真っ先にかつ決然とこれを拒否したのは、他ならぬ推挙された当の本人であった。こうしたひたすら主家に忠誠を誓うその高潔さは、彼を妬《ねた》んでの宮廷内のさまざまな陰謀をことごとく打ち破ることになる。

オイゲン公は老いても、その判断力には少しの狂いもない。カール帝の長女マリア・テレジアの婿選びの際、老公はスペイン王家の申し出を撥《は》ね退《の》け、公の戦術の師であったロートリンゲン公カールの孫フランツと姫君との結婚を予定通り遅滞なく進められるように、と帝に進言する（異説あり）。そして後にフランツは古今東西、完《かん》璧《ぺき》な婿養子となり、輝ける女帝マリア・テレジアを陰で支えることになる。

さて、老いたオイゲン公はマリア・テレジアの結婚式を見届けるようにして、その十週間後、一七三六年四月二十一日、自邸で永眠した。老衰であった。十九世紀末の詩人ホフマンスタールはこの祖国の英雄を「高貴な騎士」と呼んだ。

六、アウグスト一世 ―強健侯―

英雄、色を好む。それにしてもこのザクセン選帝侯にしてポーランド王フリードリヒ・アウグストはいささか度がすぎている。庶子三百六十人というのだから、話半分にしても、徳川十一代将軍家斉も真っ青の絶倫ぶりである。馬の蹄鉄をいともたやすく折り曲げた、という怪力の持ち主。そしてついたあだ名が強健侯。しかし果たして英雄なのか。

ともかく野心家である。最初は華々しい武勲を夢みる。ハンガリーでの対トルコ戦において皇帝軍総司令官としてデビュー。しかし不甲斐ない軍配であっさり首。次は空位となったポーランド王位を狙う。アンデルセンが子供たちに中国の話をする時「中国という国は皇帝が中国人なのですよ」と枕をふるほどヨーロッパの国王がその国の人間であることは滅多にない。

だが、それにしてもポーランドはカトリックである。そしてザクセン選帝侯家といえば、ルターを庇護《ひご》したフリードリヒ賢明侯以来、プロテスタントの牙城《がじょう》である。家臣の諫《いさ》めも聞かず、改宗し王位に就く。もともと人の意見など聞かない。思うがままに行動するだけである。領土を拡張せんと北方戦争に参加。スウェーデン王カール十二世に手痛いしっぺ返しを食らい、王位を剝奪《はくだつ》される。やがて、ロシアのピョートル大帝と組んでスウェーデン軍を撃破。ポーランド王復位。それからというもの君主の使命はお金のサーキュレーション機関に徹することだ、と言わんばかりに浪費につぐ浪費。錬金術に憑《つ》かれ黄金を夢見るうちに思いもかけず「白い金」を発見。マイセン陶器である。国庫は潤《うるお》い建設につぐ建設。おかげでザクセンの首都ドレスデンはドイツ一美しい都となる。そして一九四五年二月十三日の連合軍大空襲まで玉都の輝きを失うことはなかった。

強健侯には理想などなかった。恋の冒険とルイ十四世に負けない宮殿の建設。この二つの欲望に取り憑かれながら、人を人と思わず、国を国と思わず好き勝手に生き、かつ死んだ。それでいて、結局は二つの欲望を実現させたのである。たしかに英雄の一人なのだろう。

七、フリードリヒ二世 ─大王─

「近代に入って最もセンセーショナルな犯罪」と、イギリスの史家グーチは書いた。一七四〇年十二月十六日、プロイセン王フリードリヒ二世は二万七千百五十九人の軍隊を率いオーストリア領シュレージェン（現在のポーランド南部）を急襲し占領した。即位後わずか七カ月のことである。そしてなんといっても、オーストリアの皇帝カール六世がついに嫡男を得ずしてこの世を去って二カ月も経《た》っていないうちの軍事行動である。

カール帝は生前、「娘マリア・テレジアを跡継ぎに決めた。何卒《なにとぞ》よしなに」と、ヨーロッパ諸侯に頭を下げて承諾を取りつけた。しかしそんな約束など、なんの意味もない。帝逝去。たちまち「もはや、ハプスブルク家は存在せず！」という声が澎湃《ほうはい》と起こる。そんな時真先に行動を起こし、オーストリア随一の肥沃な地を強奪したのがフリードリヒだ。マリア・テレジアが恨み骨髄に徹したのも無理はない。

「女の腐ったような奴」と父王フリードリヒ・ヴィルヘルム一世（軍人王）は、哲学書、文学書に読みふける軟弱な跡取り息子フリードリヒを罵《ののし》った。息子は父を嫌い国外逃亡を企てる。途中発覚。同行した友人が父により目の前で殺された。軟禁状態に置かれた息子は「反マキャベリ論」を必死に書き上げる。

先のオーストリア継承戦争。そして七年戦争。さらにバイエルン継承戦争。フリードリヒは狡猾《こうかつ》にしたたかに、不屈不撓《ふくつふとう》の精神で戦い、勝ち、プロイセンをヨーロッパの強国に押し上げた。そして戦いの合間には優雅にフルートを奏《かな》で、哲人ヴォルテールとの清談を楽しんだ。

この落差に人は目を瞠《みは》る。王の代名詞、啓蒙専制君主というのが土台、矛盾なのである。「極めて複雑で矛盾だらけだが、それでいてハッキリと見透すことができる性格」（E・フリーデル）に王の偉大さがある。二つの相矛盾する要素を一身の中になんの無理もなく抱え込むことができるのが英雄なのだ、と人は妙に納得してしまう。

しかし王は言うかもしれない。矛盾でもなんでもない、目的と手段を峻別しただけである。目的とは国家理念の導入である。王家ではなく国家があるのだ。そして王とはその「国家第一の下僕」である。人民のためによかれと思うことを敢然となし、絶対主義的にドイツの蒙《くらさ》を啓《ひら》くのだ、と。そして当時、麻の如く乱れていたドイツは事実、こんな絶対主義を渇望していたのだ。かくして時代の要求と一個の人格がピタリと合い、王は大王となる。そしてドイツの多極分裂はひとまずはオーストリアとプロイセンの二権分立に収縮した。

八、カール大公 ―アスペルンの勝者―

源頼朝と義経の例を引くまでもなく、君主兄弟の国民的人気はどうしても弟に傾く。カール大公もまた兄帝フランツ一世よりはるかに人気があった。わけがある。「あの時は運命が私を見放したと思えた」とナポレオンはセントヘレナの孤島で回想している。「あの時」とは彼が全ヨーロッパを相手に百戦百勝、不敗神話をほしいままにしていた頃の一八〇九年五月のことである。オーストリアのフランツ帝は性懲《しょうこ》りもなく、またもやナポレオンに戦いを仕掛けた。

ナポレオンはドイツ方面軍を率い、帝都ウィーンの東を流れるドナウ右岸に陣を張る。兵力十万、砲三百門。一方、左岸には兵力十万、砲二百六十門のカール大公軍が待ち構えている。川中島ローバウ島を挟んでの対峙である。ナポレオンは渡河作戦を採る。しかし折からの雪どけ水でドナウは著しく増水し、架橋は無理だった。そこで船橋で川中島に本陣を移し、そこから対岸のアスペルン、エスリング両村に渡った。そこをカール大公軍は怒濤《どとう》の如く攻める。四十八時間の戦いは明らかにフランス軍の負けであった。勇将ランヌを失ったナポレオンは全軍を川中島に退却させる。ここを追撃すればフランス軍は全滅を免れない。しかし勝者カール大公の唯一最大の欠点は恬淡《てんたん》としすぎることだ。それに追撃するにも架橋の資材も船もない。こうしてナポレオンは九死に一生を得た。

結局、後にオーストリアはまたもやナポレオンの軍門に下るが、一度は軍神を破った名将というカール大公の名声はいささかも揺るがず、彼は軍のアイドルとなり国民の英雄となる。これを兄フランツ帝と重臣たちは喜ばない。大公は軍司令官を解任される。その後、彼は誰を恨むでもなく、戦術学の著作に没頭し淡々とした隠遁《いんとん》生活を送った。潔し！

九、モルトケ　―偉大な沈黙者―

参謀。前線に立ち、砲弾の下をかいくぐり、兵の士気を鼓舞しながら戦いの采配《さいはい》を振るのではない。軍の作戦・用兵の計画・立案にあたる。局地戦・限定戦に終始していた牧歌的戦争時代には前線の軍団長たちからは単なる兵站《へいたん》部ぐらいにしか見られなかった。前線での指揮をとった経験が一度もないモルトケがプロイセン陸軍参謀総長に就任した頃もこんな空気が軍内に充満していた。彼はこれを一掃し、後の「ドイツ参謀本部」無敵神話を作り上げた。

分散行軍、集中包囲攻撃。これがモルトケの戦術であった。これを可能にしたのが鉄道と電信技術である。人間は進歩するものだ、という十九世紀楽観思想の申し子であったモルトケはこの二大発明の軍事応用にいち早く手を着けたのだ。

ケーニッヒグレーツの戦い。戦闘前にモルトケの作戦にビスマルクが横槍を入れた。モルトケは戦争中の司令官の完全独立を主張し、作戦命令はすべて参謀総長より出す、というシステムを作り、政治の介入を阻んだ。こうして彼は五つの鉄道路線を駆使しプロイセン軍の七分の六を分散投入し、三方からオーストリア軍を攻撃させた。完膚なきまでの勝利である。

セダンの戦い。綿密な計画を立てる。しかしどんなに綿密であってもいざ戦闘に入ると不測の事態が起きる。そんな時には現場の指揮官に判断を委ねる。こんな柔軟さもモルトケの財産であった。ナポレオン三世を生け捕りにした、セダン包囲作戦は、前三世紀にハンニバルがローマ軍を包囲したカンネーの戦いに並び称される大勝利であった。

政治にはいっさい口を出さない。そんなものは大嫌いなビスマルクに任せていけばよい。上等な葉巻、モーツァルトの音楽と本。これさえあれば口をきかなくてすむ。そのあまりの寡黙さに人はモルトケを「偉大な沈黙者」と呼んだ。

十、ビスマルク　―戦争を操る平和主義者―

ドイツ最後の英雄ビスマルクは感情の起伏が激しい。自分の意見が入れられないと、いい大人が人前も憚《はばか》らず号泣する。政策への絶対の信念がそうさせるのか？　ドイツ統一政策！

十九世紀前半、ある詩人が嘆いた。「ドイツでは馬車を使えば一つの王国、二つの公国、六つの侯国をたった一日で回れるのだ！」と。多極分裂もここまでくると罪悪である。かつての神聖ローマ（ドイツ）帝国の権力真空状態が生んだグロテスクな怪物である。これをプロイセンが退治する。まずオーストリアをドイツから追い出す。もちろん、戦争しかない。

問題はいつ始め、いつおさめるかである。これを誤ると他国の干渉を招く。ビスマルクの開戦までの布石は実に鮮やかだった。普墺《ふおう》戦争はケーニッヒグレーツの戦いで決着がついた。しかし勝ち戦の収束ほど難しいものはない。まずプロイセン軍のこれみよがしなウィーン入城だけは絶対に阻止せねばならない。作戦に関してはいらぬ差出口は無用、とモルトケにピシャリと封じられたが、これだけは政治家として絶対に譲れぬ、とビスマルクは軍と戦勝気分に酔う国民相手に必死に戦った。いまオーストリアの恨みを買ってはならない！　ビスマルクはびっくりするほど寛大な条件で和平を結んだ。

普仏戦争も開戦までのシナリオは天才的だった。エムスの離宮にいた王ヴィルヘルム一世がフランス大使とのやりとりを電報で知らせてきた。ビスマルクはこれを改竄《かいざん》し公表。世論をかき立てた。しかし問題はやはり終戦である。軍はこんどこそは、とパリ入城を断固として主張する。イギリス、ロシアの動きが気になるビスマルクはともかく早くケリをつけようと、それならば砲撃でパリを落とせ、と譲歩する。ところが、軍は兵糧攻めを採る。ともあれ、ドイツはフランスの干渉を排除し念願の統一をなした。新生ドイツ帝国皇帝の戴冠式がヴェルサイユ宮殿で行われ、やがてパリは陥落する。そして、統一後、ビスマルクはロシアの不穏な動きにたいし「私はいかなる予防戦争も行わない」と宣言、平和に徹した。

しかしそれにしても、よりによってヴェルサイユでの戴冠式とパリ入城とは！　いくら平和に徹してもフランス人の恨みは消えず、将来に禍根を残した。戦争を操る平和主義者ビスマルク一生の不覚であっただろう。これに比べれば、後のヴィルヘルム二世帝による解任と冷遇などものの数ではなかったのではなかろうか？

マルチン・ルターの宗教改革はいうなれば原理主義であった。それまで僧院の奥深くにしまい込まれていた「聖書」とは本来、不特定多数の目に自由にさらされることを原理とする啓示の書である。そこでこの文書を改めて世に知らしめ、そこに書かれていることだけを信ぜよ、とルターは言う。キリスト教と土俗信仰が結びついてヨーロッパ各地で信じられていた聖者の行う奇跡。こんなものは容易に説明がつく。まやかしだ。「聖書」以外のすべての奇跡、不思議、神秘は、あってはならないのだ。この世に謎はない。「聖書」がすべてを規定する。したがって謎解きの楽しさもない。

このリゴリズムはどうみたって太陽の国、イタリアには似合わない。やはり、鈍色《にびいろ》の空が覆うドイツだ。それからあらぬか、ドイツは「歴史の謎」といったものにはからっきし弱い。とりわけプロテスタント。少なくとも私を牽《ひ》きつける謎は乏しい。いきおい、カトリック地域から拾うことが多くなる。するとオーストリアが俄然《がぜん》割り込んでくる。ついでにマイナーなものも入り込む。そのため、「十大事件」を掲げて狗肉を売ることになるやもしれない。そこは筆者の趣味と開き直り、まずはファウスト伝説。

一、ファウスト伝説

一五三九年、ライン右岸の田舎貴族、フォン・シュタウフェル男爵の居城近くのとある宿の一室に狙いすましたように雷撃が落ちた。男爵の依頼で一人の老人が黄金作りに没頭している最中の出来事だった。部屋は滅茶苦茶となり、老人の焦げた死体が転がった。神学博士、錬金術師、フランス王フランソワ一世の占星術顧問兼侍医、ドイツ帝カール五世の面前にアレキサンダー大王を出現させた魔術師ヨハン・ゲオルク・ファウストの哀れな最期である。

そのおどろおどろしい死にざまが、博士を伝説の人とした。「悪魔と結託した男」の名は目にするのも憚《はばか》られる、と博士の足跡はあらゆる資料から抹消された。しかし隠せば現れる。人には口もあれば耳もある。博士の生涯は口伝えに伝えられ、どんどん膨らんでいった。かくしてファウスト博士は同時代人の偉大な医師にして錬金術師パラケルススをしてもとうていパラ（太刀打ち）できない伝説の人となった。

二、モーツァルト毒殺疑惑

「魔笛」がまずかった。当時、弾圧を受けていたフリーメーソンにとって、結社の思想を鼓舞するこの歌劇は有難迷惑を超えて剣呑《けんのん》そのものとなっていた。そこで支部会員ファン・スティーン伯は組織防衛のため作者モーツァルトを毒殺。

否、「フィガロの結婚」がいけなかった。ボーマルシェの危険な革命思想がいっぱいつまった戯曲を軽快な音楽にのせたこの歌劇はハプスブルク王朝の怒りを買った。宮廷の寵を失った天才作曲家を見て、宮廷首席楽長サリエリは呟《つぶや》いた。いまなら手が出せる、と。首席楽長としての行い澄ました物腰の裏でサリエリは、奴には勝てぬ、というどうにもならない事実に日々、魂が食い破られていた。いまなら手が出せる。出した。毒殺。

それとも単なる病死なのか。遺体を調べればすむ。しかし、死の翌日、一七九一年十二月六日、聖マルクス墓地に投げ込まれた遺体は杳《よう》として行方知らずのままである。

三、ヨーロッパの孤児カスパール・ハウザー

一八二八年五月「世はすべてこともなし」と思われていた市民社会に一人の孤児が闖入《ちんにゅう》してきた。侵入口はバイエルン王国はニュルンベルク。ヨーロッパはこの突然の闖入者に慌てふためいた。十何年もすべてが剥奪されていた孤児カスパール・ハウザーは言葉をいっさい解さない。社会の仕組みを知らない。そのためかえって「良き時代」のシステムが透けて見えるらしい。いつなんどき「王様は裸だ！」と言い出しかねない。危険だ。そんな社会の総意が五年後の孤児暗殺となる。これはいかにも穿《うが》った解釈か。

他にも貴種流離譚《きしゅりゅうりたん》に絡めてバーデン大公の落胤《らくいん》で、大公国のお家騒動に巻き込まれ暗殺された、という説がある。あるいは詐欺師説、暗殺は狂言失敗説、果ては、孤児は人造人間ゴーレムだという説まで飛び出してくる。ともあれ、すべてを隔絶されたまま成長した人間はどうなるか、というおぞましい実験に使われたハウザーはなんとも哀れである。

四、ルートヴィヒ二世の変死

狂王ルートヴィヒ二世はバイエルン山奥のノイシュヴァンシュタイン城で虚空に向かって、必死の独演ドラマを演じていた。首都ミュンヘンから国家委員会がやって来た。王を幽閉するためだ。理由は王の精神の病い。診断を下したのは高名な精神科医グッデン教授。ところが、教授は王を一度も問診していない。無茶な話だ。それだけ政府は必死だった。王はなす術《すべ》もなく、シュタルンベルク湖畔のベルク城に幽閉される。

幽閉の二日目、一八八六年六月十三日、王とグッデン教授は散歩に出る。帰ってこない。午後十時、湖で二人の水死体が発見された。二人とも水泳の達人である。事故か、暗殺か。王が教授を殺し、そして自殺した、という説が有力である。この時、湖の対岸には王のごく近い近親者で唯一の理解者でもあるオーストリア皇妃エリザベトがいた。しかし、この日を境に王の独演ドラマは皇妃の手を離れ、無数の観客のものとなった。

五、ルドルフ皇太子暗殺疑惑

オーストリアのハプスブルク、バイエルンのヴィッテルスバッハ両家の二十二回目の婚姻で生まれたのがオーストリア皇太子ルドルフ。両親はいとこ同士で母はエリザベト。そんなルドルフが一八八九年一月三十日、マイヤーリンクでマリー・ヴェッツエラ男爵令嬢と心中した時、結局、皇室は自殺と認め、心神喪失のため、と診断書に書き添えさせた。原因において自由なる行為、というやつで、だからカトリックの葬式は可能だ、というのである。自殺者を出した貴族がよく使う手である。

ところがオーストリア最後の皇妃ツィタが、亡命先からウィーンに戻った一九八三年、ルドルフは暗殺されたのだ、と爆弾発言した。皇太子は父帝フランツ・ヨーゼフ一世に弓引こうとしていた。しかし間際で怯《ひる》んだ。血盟を誓った同志は怒った。暗殺。それでは同志とは誰か。ラリッシュ伯爵夫人の粉飾濃厚な回想録にそのヒントがある。話は次に続く。

六、ヨハン・オルト生存伝説

ラリッシュ伯爵夫人によるとルドルフ皇太子はその死の三日前、小さな函《はこ》を夫人に預け、ある暗号を知る人物にこれを渡してくれ、と頼んだ。

彼の死後、この小函を受け取ったのはハプスブルク家の異端児ヨハン・サルバトール大公。小函を手にすると大公は早速フランツ・ヨーゼフ一世に皇籍離脱を願い出た。帝はこれを認め、併せてオーストリア国籍をも剥奪した。

大公はスイス人ヨハン・オルトとなり、ウィーンの王立オペラ座の舞姫ミリ・シュトゥーベルを生涯の伴侶《はんりょ》として七つの海に繰り出した。その矢先、船乗りヨハン・オルトは一八九〇年七月、南米ホーン岬沖で消息を絶った。遺体は上がらない。上がらなければ世の中は彼の死を認めない。かくしてヨハン・オルトが世界のあちこちに出没することになる。

ある大公の伝記作者が列挙した、数多の生存伝説の中にこんなのがある。「日本の高名な提督、山縣《やまがた》伯爵こそ、大公その人である」と。この山縣伯爵って誰だ！　しかしいくらなんでもこれはないだろう。

七、サラエボ事件の謎

五代歌川国政が「墺国皇族新橋御入京図」に描いた熱烈歓迎は、ここサラエボではまったく見られない。日本訪問とはわけが違う。オーストリアのバルカン進出政策に踏みにじられた民族の誇りが敵意となって辺りに充満している。ルドルフ情死の後、皇太子となったフランツ・フェルディナントもそれは百も承知であった。もちろん、自身の暗殺計画までは知らない。しかしセルビア王国宰相はテロ組織「黒手組」の動きをキャッチし、オーストリア政府に通報した。面妖《めんよう》なことに政府はそれを無視。皇太子のサラエボ訪問は予定通り行われ、一九一四年六月二十八日、皇太子夫妻は予定通り？　暗殺された。

女官ゾフィーとの貴賤婚を強行して以来、伯父帝フランツ・ヨーゼフ一世との確執ははてしなく続いた。帝は皇太子の代わりなどいくらでもいる、とフェルディナントを死地に赴かせたのか？　ともあれ、第一次世界大戦という未曾有《みぞう》の惨劇はこうして始まった。

八、ヒンデンブルク号墜落事件

ドイツのツェッペリン飛行船が初めて大西洋を横断したのは一九二四年。以来、そのユーモラスな飛行が受けて人気は鰻《うなぎ》上り。ツェッペリン社は続けて二機製造。製造番号一二九のヒンデンブルク号（ヒトラーに政権を渡したヒンデンブルク大統領にちなんで命名される）は、約七〇〇万立方フィートの水素を抱きながらヒトラーのドイツを誇るように、プカリ、プカリとアメリカ上空に浮いていた。やがてニュージャージー州レイクハースト海軍基地に着陸寸前、突如として大爆発を起こした。

一九三七年五月六日、三十六人の命を奪ったこの惨事は大気中の異常な電荷によるものと説明されている。しかし、乗員の一人が焼夷弾を仕掛けた、とする説がある。反ナチスの彼が、ナチスの権威を失墜させんと、身を挺して爆破したというのである。ともあれ、この事件を機にツェッペリン社は飛行船製造を中止する。その後、世界は第二次世界大戦に突入していく。

九、ルドルフ・ヘスの謎

第二次大戦のさなか、一九四一年五月十日。ナチス副総統ヘスは単身、メッサーシュミット機でイギリスに飛び、パラシュート降下した。和平工作か、祖国を見限っての政治亡命か。ヒトラーは驚倒し、ドイツ国内の占星術師に怒りをぶつけた。ヘスが占星術に入れあげていたのは有名な話だ。そこで面白い説を一つ。ジェームズ・ボンドの生みの親であるイアン・フレミングの立案によりイギリス海軍情報部が、ヘスの占星術狂いを利用し見事おびき寄せたのだ、という。果たしてどうか。

戦後ヘスは、ベルリンにある米、英、仏、ソ四カ国管理のシュパンダウ刑務所に、四十年間収監される。後半二十年間は同刑務所のたった一人の受刑者となり、年間二億円の出費を四カ国に強い続けた。一九八七年八月十七日、死去。老衰、自殺、他殺と諸説紛々。さらには、死んだヘスは本当のヘスではなく替え玉であった、という説まである。

十、ヒトラーの死

ナチスの党章「鍵十字」は第三帝国最大のイデオローグ、カール・ハウスホッハーの採用による。そして彼にこれを薦《すす》めたのは、ロシアの神秘主義者グルジェフ。起源は古くチベット密教にある。そのためかハウスホッハーにより封印を解かれた「邪悪な霊」ヒトラーは転生を繰り返す。

彼は一九四五年四月二十九日、愛人だったエヴァ・ブラウンと結婚。翌日、遺体を焼くようにと遺言し、ピストル自殺。しかし遺体の完全焼却には一〇〇〇度の高温が二時間必要で、総統官邸の庭では無理だった（ハンス・バンクル『死の真相』後藤久子他訳参照）。しかし、そのため遺体の確認ができた。決め手は歯。しかし生前のレントゲン写真はアメリカ、遺体の写真はソ連がそれぞれ所有。つきあわされたのは死後二十八年経《た》ってのことだ。その間、ヒトラーは好きなように転生を繰り返した。今でも、遺体の左睾丸《こうがん》欠如を理由にヒトラーの遺体ではない、とする説が強い。ヒトラー生存伝説。しかしなんといっても怖いのは彼の邪悪な精神の転生である。

一応これで十の謎めいた事件を掲げた。中には眉《まゆ》に唾《つば》したくなるような説もある。まっかな嘘《うそ》があるかもしれない。しかしそれもこれもひっくるめて歴史はできる。ドイツの現代詩人エンツェンスベルガーがこんなことを言っている。歴史とは古来、フィクションをも含めた「集団的ロマンとして語り伝えられてきた」と。けだし名言である。

素通りできぬこと
―後書きにかえて―

オーストリアの出版社、シュティリア社が刊行している人気伝記シリーズに登場するハプスブルク家の人々は、一九九二年現在、次の通りである。すなわち、ルドルフ一世、フリードリヒ三世、フェルディナント一世、フェリペ二世、ルドルフ二世、フェルディナント二世、レオポルト一世、ヨーゼフ一世、カール六世、フランツ一世・シュテファン、ヨーゼフ二世、レオポルト二世、カール大公、ヨハン大公、フランツ・ヨーゼフ一世、エリザベトの計十六人である。

マクシミリアン一世、カール五世、マリア・テレジア、皇太子ルドルフは格別なのか、このシリーズには登場してこない。いずれも劣らぬ超有名人でいまさら御登場願うのも気が引ける、といったところだろう。確かに、そうだ。私も気が引けて、ほぼ素通りしてしまった。

この四人だけではない。先に上げた十六人のうち、幾人かは全く触れなかった。嫌いなのではない。ちょっと眩《まぶ》しすぎて近づきにくいのだ。小心ものの哀しさか。本書冒頭に書いた「ハプスブルク家のエピゴーネンたち」の趣旨は案外こんなところにあるのかもしれない。

ともあれ、こうして本書は出来上がった。黄金伝説ならぬ水銀伝説集。しかし、こうして本書が出来上がったいま、素通りできぬこともある。まず、参考文献。これは巻末に添えた。次に、本書の各章のうち書き下ろし以外の初出一覧。以下の通りである。

「ルドルフ四世①偽書の快走」『本』一九九三年三月（講談社。なお、大幅に加筆）
「ルドルフ四世②ハプスブルク家の下唇」『ブルンネン』一九九一年三月（郁文堂）
「フリードリヒ五世　ハプスブルク家に喚われた獅子」『ブルンネン』一九八八年四月（郁文堂）
「マクシミリアン大公①ハプスブルク家に乾杯！」『ブルンネン』一九八六年九月（郁文堂）
「マクシミリアン大公②ハプスブルク家の厄介叔父」『本』一九八八年九月（講談社）

「マクシミリアン大公③皇后シャルロッテの手紙」『文学空間』Vol．11 no．10（創樹社）

「マクシミリアン大公④マクシミリアンとグリルパルツァー」『明治大学人文科学研究所紀要別冊10』一九八八年十一月

「マクシミリアン大公⑤ウィーン紀行／シェーンブルン動物園」『CUE』一九八九年九月／十月（ジャパン・タイムズ）

「ヨハン大公　海に消えたハプスブルク家の反逆児」『CUE』一九八九年一月／二月、三月／四月（ジャパン・タイムズ）

「皇太子ルドルフ①国家転覆の小函」『ブルンネン』一九八九年七月（郁文堂）

「マチルデ大公女　プリンセス焼死」『ブルンネン』一九九二年九月（郁文堂）

「ハプスブルク家の女たち」『歴史読本ワールド』一九九三年五月（新人物往来社）

「ハプスブルク家とその周辺を彩る十人の英雄」『歴史読本ワールド』一九九二年八月（新人物往来社）

「ハプスブルク家とその周辺を巡る謎の十大事件」『歴史読本ワールド』一九九二年五月（新人物往来社）

さて、最後に正真正銘どうしても、素通りできぬことがある。

本書は新人物往来社の高橋千劒破氏の叱咤激励がなければ到底、日の目をみることはなかった。氏に心より感謝したい。

また、そもそも私がハプスブルク家に強く魅《ひ》かれたのは、明治大学の在外研究で一年ちょっとウィーンに滞在してからである。そしてそのきっかけをつくってくれたのは、ハンス・E・ドゥルトナー氏である。氏はいわゆる遺賢。ハプスブルク家の面白さを諄々《じゅんじゅん》と説いてくれた。本書全体が氏への私からの謝恩の辞である。

ところで、本書は私が初めて出版した本である。亡き父が生きていれば、とつくづく思う。

さて、私には忘れられぬ一人の読者がいる。この読者はしばらくは私のたった一人の読者であった。氏は厳しかった。そして温かだった。いまでも、そしてこれからも氏は私の最初の読者である。もちろん妻伸江のことである。奥さん、ほんとうにありがとう!

●ハプスブルク家関係邦文文献●

『ハプスブルク帝国史研究—中欧多民族国家の解体過程—』矢田俊彦著（岩波書店）／『ドイツ史』林健太郎編（山川出版）／『ハプスブルク家』アーダム・ヴァントルツカ著　江村洋訳（谷沢書房）／『ハプスブルク帝国』A・J・P・テイラー著　倉田稔訳（筑摩書房）／『オーストリア革命』オットー・バウアー著　酒井晨史訳（早稲田大学出版局）／『ハプスブルク家』下津清太郎著（近藤出版社）／『オーストリア・スイス現代史』矢田俊彦・田口晃著（山川出版）／『ハプスブルク帝国史入門』ハンス・コーン著　稲野強他訳（恒文社）／『ビラの中の革命』増谷英樹著（東京大学出版会）／『ハプスブルク家』江村洋訳（講談社）／『青きドナウの乱痴気』良地力著（平凡社）／『１８４８年の社会史』良地力著（影書房）／『会議は踊る』江上照彦著（南窓社）／『会議は踊る』幅健史著（三省堂）／『ドナウ河紀行』加藤雅彦著（岩波書店）／『オーストリア文学とハプスブルク神話』クラウディオ・マグリス著　鈴木他訳（風の薔薇社）／『ハプスブルク夜話』ゲオルク・マルクス著　江村洋訳（河出書房新社）／『ウィーン大研究』原研二他著（春秋社）／『昨日の世界』シュテファン・ツバァイク著　原田義人訳（みすず書房）／『ユリイカ』19巻第8号　特集「ウィーンの光と影」（青土社）／『世紀末ウィーンの精神と性』ニーケ・ワーグナー著　菊盛英夫訳（筑摩書房）／『ウィーンの森の物語』池内紀著（主婦の友社）／『ウィーンの青春』A・シュニッツラー著　田尻三千夫訳（みすず書房）／『世紀末ウィーン』カール・E・ショースキー著　安井琢磨訳（岩波書店）／『ウィーン精神』W・M・ジョンストン著　井上修一他訳（みすず書房）／『ウィーンの日本』P・パンツァー

J・クレイサ著　佐久間穆訳（サイマル出版会）／『ハプスブルク物語』池内紀著（新潮社）／『ウィーン都市の万華鏡』池内紀著（音楽之友社）／『ウィーンの世紀末』池内紀著（白水社）／『ザルツブルク』池内紀著（音楽之友社）／『ウィーン四季暦』池内紀著（東京書籍）／『ホーフマンスタールとその時代』ヘルマン・ブロッホ著　菊盛英夫訳（筑摩書房）／『ウィーン』池内紀著（筑摩書房）／『ウィーン1899年の事件』ラリー・ウルフ著　寺門泰彦訳（晶文社）／『ウィーン物語』宝木範義著（新潮社）／『ウィーン』山本長厭昭著（スリーエー・ネットワーク）／『ウィーン』森本哲郎著（文藝春秋）／『ウィーン』ロート美恵著（講談社）／『ウィーン愛憎』中島義道著（中央公論社）／『世紀末ウィーンを歩く』池内紀著（新潮社）／『ふだん着のウィーン案内』真鍋千絵著（晶文社）／『ウィーン万華鏡』内藤香著（サイマル出版会）／『天使の饗宴』ドミニック・フェルナンデス著　岩崎力訳（筑摩書房）／『中欧の崩壊』加藤雅彦著（中央公論社）／『幻想の都市』饗庭孝男著（新潮社）／『黄昏のウィーン』須永朝彦著（新潮社）／『ブタペストの世紀末』ジョン・ルカーチ著　早稲田みか訳（白水社）／『バルカン現代史』木戸翁（しげる）著（山川出版）／『東欧経済史の研究』南塚信吾著（ミネルヴァ書房）／『東ヨーロッパ』森安達也　南塚信吾著（朝日新聞社）／『東欧の歴史』アンリ・ボグダン著　高井道夫訳（中央公論社）／『女帝マリア・テレジア』ライティヒ著　江村洋訳（谷沢書房）／『中世最後の騎士』江村洋著（中央公論社）／『カール五世』アンリ・ラペール著　染田秀藤訳（白水社）／『バロックの騎士』飯塚信雄著（平凡社）／『カール五世』江村洋著（東京書籍）／『マリア・テレジアとその時代』江村洋著（東京書籍）／『麗しの皇妃エリザベト』ジャン・デ・カール著　三保元訳（中央公論社）／『エリザベート』塚本哲也著（文藝春秋）／『ハンガリーに蹄鉄よ響け』南塚信吾著（平凡社）／『魔術の帝国』エヴァンズ著　中野春夫訳（平凡社）

Der schöne Tod
: *Die Kapuzinergfruft*
Hrsg. von Alois Brusatti: *Die Habsburgermonarchie 1848-1948 4 Bde.*
Felix Czeike: *Das grosser Wiener Lexikon*
Hrsg. von Peter Berner: *Wien um 1900*
Hrsg von Emil Brix: *Die Wiener Moderne*
Egon Friedell: *Kulturgeschichte der Neuezeit*
Hermann Bahr: *Austriaca*
Hrsg. von Ernst Bruckmüller: *Bürgerturm in der Habsburgermonarchie*
Claudios Magris: *Der Habsburgische Mythos in der österreichschen Literatur*
Stanslas klossowski de Rola: *Alchemie*
Hrsg. von Gottfried Lorenz: *Quellen zur Vorgeschichte und zu den Anfängen des dreibigjährigen Krieges*
Hrsg. von Hans Urlich Rudolf: *Der dreibigjährige Krieg*
Bruno Schimetschek: *Der österreichische Beamte*
Ernst Wurmbrandt: *Ein Leben für Alt～Österreich*
Elisabeth Grosseggger: *Der Kaiser Huldigungs-Festzug*
Thea Leitner: *Habsburgs verkaufte Töchter*
: *Habsburgs vergessene Kinder*
Sigrid-Maria Grobing: *Amor im Hause Habsburg*
: *Schatten über Habsburg*
Hellmut Andics: *Gründerzeit*
: *Ringstrabenzeit*
: *Luegerzeit*
Juliana von Stockhausen: *Im Schatten der Hofburg*
Hrsg. von Gunther Wolf: *Friedrich Barobarossa*
Johan Franzl: *Rudolf I.*
Alfons Huber: *Geschichte von Erzherzog Rudolf IV.*
Felix Braun: *Rudolf der Stifter*
Ernst Karl Winter: *Rudolf IV. von Österreich*
Bernd Rill: *Friderich III.*
R. J. W. Evans: *Rudolf II.*
Karl Vocelka: *Rudolf II. und seine Zeit*
Paula Sutter Fichtner: *Ferdinand II.*
Jogann Franzl: *Ferdinand II.*
Günner Ogger: *Kauf dir einen Kaiser*
John P. Spielman: *Leopold I.*
Nicholas Henderson: *Prinz Eugen*
Bernd Rill: *Karl VI.*
Getrud Fussennegger: *Maria Theresia*
Georg Schreiber: *Franz* Ⅰ. *Stephan*
Helmut Reinalter: *Österreich im friderizianischen Zeitalter*
Hans Magenschab: *Josef* Ⅱ.
Joseph Karniel: *Die Toleranzpolitik Kaiser Josephs II.*
Helga Peham: *Leopold II.*
Hans Magenschab: *Erzherzog Johann*
Annonymus: *Kaiser Franz Joseph I. und sein Hof*
Hermut Hertenberger/Franz

Wiltschek: *Erzherzog Karl*
Egon Cäsar Conte Corti/Hans Sokol: *Franz Joseph*
Joan Haslip: *Maximilian*
Konrad Ratz: *Maximilian in Queretaro*
: *Das Militärgerichtsverfahren gegen Maximilian von Mexiko*
Brigitte Hamann: *Mit Kaiser Max in Mexiko*
Wladimir Aichelburg: *Maximilian Maximilian von Mexiko 1832-1867 Aufstellung auf Burg Hardegg*
Euphemia von Ferro: *Erzherzog Ferdinand Maximilian von Oesterreich Kaiser von Mexico als Dichter und Schriftsteller*
Ferdinand Anders: *Erzherzog Ferdinand Maximilian und das Segundo Imperio Mexicano*
Felix Gamillscheg: *Kaiseradler über Mexiko*
Walter Löhde: *Ein Kaiserschwindel der《hohen》Politik*
Hrsg. von Jochaim *Kühn: Das Ende des maximilianischen Kaiserreichs in Mexiko*
Egon Cäsar Conte Corti: *Maximilian und Charlitte von Mexiko*
: *Maximilian von Moxiko*
: *Elisabeth*
Ferdinand Anders/Klaus Egger: *Erzherzog und Kaiser*
Ottokar Janetscheck: *Das verhangnissvolle "M"*
Gatherine Gavin: *Ein Thron in Mexiko*
Emil Schmid: *Kaiser Mas von Mexiko*
Felix Huch: *Der Kaiser von Mexiko*
Edmund Daniek: *Sie zogen nach Mexiko Enthüllungen über die Ietzten Lebenstage und die Hinrichtung des Kaisers Naximilian I. von Mexiko*
Franz Werfel: *Juarez und Maximilian*
Gerd Mesenhol: *Im Schatten der Zypressen*
Brigitte Hamann: *Kronprinz Rudolf Der Weg nach Mayerling*
: *Kronprinz Rudolf "Majestät, ich warne Sie"*
: *Elisabeth*
Gerd Holler: *Ferdinand*
: *Mayerling*
John T. Salvendy: *Rudolf*
Friderich Weissensteiner: *Frauen um Kronprinz Rudolf*
Jogannes Hawlik: *Der Bürgerkaiser*
Wallersee-Larisch: *Meine Vergangenheit*
Pauline Metternich: *Erinnerungen*
Friedrich Weissensteiner: *Aussterger aus dem Kaiserhaus Johann Orth*
: *Die rote Erzherzogin*
: *Franz Ferdinand*
Pollak Heinrich: *Erzherzog Johann. Ein Charakterbild*
Hans Schaffelhofer: *Johann Orth im Weltmeer verschollen*
Brigitte Hamann: *Erzherzog Albrecht*
Friedrich Schreyvogl: *Habsburger-Legende*

●ハプスブルク家関係欧文文献●

Hrsg. Von der Historischen Komission bei der Bayerishen Akademie der Wisasenschaften: *Allgemeine Deutsche Biographie 55 Bde.*

Neue Deutsche Biographie Bd. 1～15

Hrsg. Von Österreichischen Akademie der Wissenschaften: *Österreichsches Biographisches Lexikon 1815-1950 9 Bde.*

Hrsg. Von Brigitte Vacha: *Die Habsburger*

Thomas Ebendorfer: *Chronica Austriae* S. Fischer-Fabian: *Die deutschen Cäsaren*

Adam Wandruszka: *Das Haus Habsburg*

Wilgelm Knappich: *Die Habsburger Chronik*

Alphons Lhotsky: *Aufsätze und Vortäge 5 Bde.*

Edward Crankshaw: *Die Habsburger*

Hrsg. von Bribitte Hamann: *Die Habsburger Ein biographisches Lexikon*

Richard Reifenscheid: *Die Habsburger in Lebensbildern*

: *Die Habsburger*

Walter Kleindel: *Urkund dessen. . .*

Österreich-ein Herzogtum

Hellmut Andics: *Die Frauen der Habsburger*

Drothea Wachter: *Aufstieg der Habsburger*

Ernst Joseph Gölich: *Grundzüge der Geschichte der Habsburgermonarchie und Österreichs*

Robert A. Kann: *Geschichte des Habsburgerreichs*

Alexander Lerner-Holenia: *Das Geheimnisse des Hauses Österreich*

Karl Vocelka: *Habsburger Hochzeiten 1500～1600*

Rovelt J. W. Evans: *Das Werden der Habsburgermonarchie*

E. M. Lichnowsky: *Geschichte des Hauses Habsburg 12 Bde*

Erich Zöiner: *Geschichte Osterreichs*

Gerhardt Helm: *Der Aufstieg des Hauses Habsburgs*

:*Glanz und Niedergang des Hasuses Habsburg*

Günter Hödl: *Habsburg und Österreich*

Paul Christoph: *Großherzogtum Toskana*

Franz Pesendorfer: *Die Habsburger in der Toskana*

Hellmut Andics: *Neue Österreichische Gescihchte in vier Bänden*

Friedrich Weissensteiner: *Reformer, Republikaner und Rebellen*

Hrsg. von Anton Schindling: *Die Kaiser der Neuzeit*

Hrsg. von Rolf Straubel: *Kaiser König Kardinal*

Getrud Fussenegger: *Herrscherinnen*

Alois Gerlich: *Habsburg-Luxemburg-Wittelsbach im Kampf um die deutsche Königskrone*

Magdalena Hawilk-van de Water:

解説

高橋千劔破《ちはや》（文芸評論家・日本ペンクラブ常務理事）

ハプスブルク家は、ヨーロッパで最も由緒ある名門の一つである。十三世紀から二十世紀前半まで、現在のドイツ・オーストリアを中心とする中欧の広大な地域に君臨し続けた。十五世紀中葉から十九世紀初頭までの神聖ローマ帝国（ドイツ帝国）の皇帝は、一人の例外を除き、すべてこの家門から出ている。さらに帝国崩壊後百年の間に、四人のオーストリア皇帝を生んだ。婚姻政策によってスペイン王家を占め、またハンガリー王家やフランス王家とも深くつながった。まさに、ヨーロッパ史における華麗なる一族であり、語るにこと欠かない。

日本でいうなら徳川家に似ている。神君《しんくん》家康の開幕以来、十五代にわたって日本に君臨し続け、一族である親藩《しんぱん》をはじめ、多くの譜代《ふだい》や外様《とざま》の大名家とも婚姻関係によって結ばれた。とはいえ、スケールの点ではハプスブルク家にはるかに及ばない。徳川家はたかだか三百年に満たないが、ハプスブルク家の中欧支配は、日本史でいうなら中世初期の鎌倉時代から近代の大正時代まで七百年に及んだ。支配地の広さもはるかに勝る。

そのハプスブルク家の歴史を把握するのは、容易なことではない。人物にしても、その系譜は複雑かつ厖大《ぼうだい》で、まずは理解しきれない。とはいえ、ヨーロッパの歴史をひもとくとき、ハプスブルク家は避けて通れない。第一次世界大戦も、その発端はオーストリア帝国の皇太子夫妻暗殺事件だ。

ハプスブルク家に興味をもつ人にとって、本書は最適の入門書といえる。

著者の菊池良生は、オーストリア文学の専門家で、明治大学の教授である。ハプスブルク家に関する多くの著書をもつが、本書はその嚆矢《こうし》である。

入門書というのは、その歴史を一般向けにわかり易くまとめた本という意味ではない。本書を読んだ人は、まちがいなくハプスブルク家について興味を抱き、もっとその歴史や人物たち、あるいは周辺の事柄を知りたくなるにちがいない、という意味である。

本書は、エッセーであると同時に読み物ともなっている。たんなる人物伝でもなければ、もちろん専門書でもない。著者自身のハプスブルク家に対する興味を優先させた、かなり恣意的な本となっている。だからおもしろい。人に物事を語るとき、まずは自分がおもしろいと思うことを熱っぽく語ってこそ、興味を喚起しうる。

ハプスブルク家に連なる人物たちは、あまりにも多く、しかも多彩だ。かといって著者の菊池良生は、英雄伝や偉人伝には興味がない。著者が熱っぽく語るのは、本流から外れた亜流の人物、すなわちエピゴーネンたちだ。

冒頭に神君ルドルフ・フォン・ハプスブルクと、続いてルドルフ四世が登場するが、彼らはエピゴーネンではない。著者は本書を、人物から語るハプスブルク家の黄金伝説ではなく、エピゴーネンたちによる水銀伝説と位置づけるが、入門書としては初代のルドルフ一世と、偽書を作成してまで〝陽の沈まない帝国〟の基を築いたルドルフ四世を抜かすわけにはいかない。かといって著者は、彼らを英雄視しない。

ルドルフ・フォン・ハプスブルクは「偉大なる俗物」であり、シュタウフェン朝の皇帝フリードリヒ二世没後の「大空位時代」を経て、「貧乏伯爵」からたまたまドイツ王になった。それが、オーストリアをふくむ広大な領地を誇るオットカールを破ったことにより、「ハプスブルク家神話」の祖となりえた、と述べる。

ルドルフ四世は、神聖ローマ帝国の皇帝カール四世の「金印勅書」に対抗して、五通の偽書をデッチ上げて領邦国家の君主としての正当性を主張、カール四世に認めさせた。そのルドルフ四世は、途方もない夢想家にして冷たい打算家であったといい、夫人はカール四世の娘であった。著者は、

「恐らく帝は、ルドルフという常識破りの婿《むこ》に強く心ひかれたのである」

と述べ、かの斎藤道三《どうさん》が娘婿の織田信長に抱いた感懐になぞらえる。

「無念なことながら道三の子供が、たわけものの門外に馬をつなぐようになることは案の内である」

と。だが、ルドルフ四世は二十六歳までしか生きなかった。

以上の二人はともあれ、以下、本書はエピゴーネンたちを語るが、著者が最も多くのページ数を割いたのが、マクシミリアン大公である。著者は彼を、ハプスブルク家の厄介《やっかい》叔父《おじ》と位置づける。

オーストリア帝国に六十八年間君臨した兄フランツ・ヨーゼフ一世にわずか二年遅れて生まれてきたため、フェルディナント・マクシミリアンは、メキシコで銃殺されるという非業の死をとげた。三十五歳のときである。彼こそ、まさにエピゴーネンだ。

じつは菊池良生は、彼を主人公に『イカロスの失墜』という伝記読み物を書いている。他にも著者には前述したごとく、ハプスブルク家に関する多くの著書があるが、いずれも明快で読み易く、興趣をそそられる。だがハプスブルク家の歴史は、語っても語っても、おそらく語り尽くせない。菊池良生は、これからもハプスブルク家を語り続けてくれるにちがいない。

二〇〇九年九月

新人物文庫

ハプスブルク家の人々

2009年11月13日　第1刷発行

著　者　菊池良生
発行者　杉本　惇
発行所　株式会社　新人物往来社
〒102-0083
東京都千代田区麹町3-2　相互麹町第一ビル
電話　営業　03(3221)6031　振替　00130-4-718083
編集　03(3221)6032
URL　http://www.jinbutsu.jp
乱丁・落丁本は、お取替え致します。

DTP／マッドハウス　印刷・製本／中央精版印刷　Printed in Japan
ISBN 978-4-404-03768-8 C0122